SILHOUETTE DE LA FRANCE

A Blaisdell Book
in the Modern Languages

CONSULTING EDITOR
André Malécot, *University of Pennsylvania*

SILHOUETTE

A First Reader in French Civilization

DE LA FRANCE

Charles W. Lovy

CONTRA COSTA COLLEGE

BLAISDELL
PUBLISHING
COMPANY

*A Division of
Ginn and Company*

WALTHAM, MASSACHUSETTS
TORONTO • LONDON

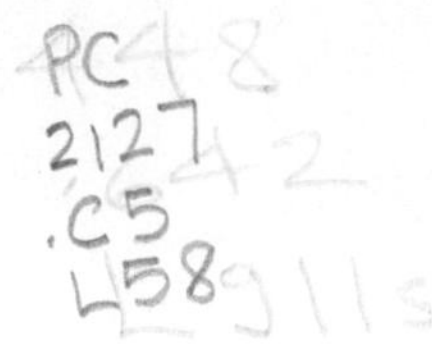

Library of Congress Catalog Card Number: 67-10548
Printed in the United States of America.

Preface

Silhouette de la France is a reader for beginners, which may be introduced very early in the first semester.

Though no attempt at systematic grading has been made, the lessons do become progressively more difficult, both in vocabulary and grammatical structure. The first few chapters are extremely easy, and since all verb forms, including regular ones, which appear in the first four chapters have been listed in the end vocabulary, the student can read these chapters with pleasure and ease after the first three weeks of instruction. The listing of difficult irregular verb forms throughout the text, and other features of the end vocabulary, should make the preparation of all lessons an easy task indeed.

The author has attempted to write a text which: (a) develops, from the beginning, the skill of reading with direct comprehension rather than through the decoding of difficult constructions; (b) never sacrifices the natural turn of phrase to classroom French; (c) provides a first, but systematic, introduction to France and things French; (d) appeals not only to students with linguistic or literary interests, but also to those with less well defined tastes.

The customary device of following a traveler through France and seeing the country through his eyes has been abandoned for a less artificial, matter-of-fact account. The author has used this material for several semesters in his own courses, and has found that the students respond favorably to this lack of pretense, and that the study of French culture pays high dividends in motivation.

The numerous questions–probably too numerous to be used in their entirety by any single class–have been phrased to provide a "nut-shell" review of the cultural content. The sketches and photographs are also meant to reinforce the content, rather than to sweeten it.

None of this content is the fruit of recondite research. The author has drawn freely upon the standard works of reference, guidebooks, and French schoolbooks, as well as upon his memories of a lifetime of travel in France.

Jules Michelet, in chapters eight and ten, on Brittany, Provence, and Languedoc has been quoted from *Tableau de la France* as published by the *Société Les Belles Lettres,* Paris, in 1949 (in the collection *Les Textes Français*).

The little eighteenth century ditty on Louis XV, in chapter eleven, comes from M. Blancpain and C. de Lignac (eds.), *France Actuelle II, De Passy au Père Lachaise* (Paris: Hatier, 1960) p. 14.

C.W.L.

Table des Matières

PREMIÈRE PARTIE

DEUXIÈME PARTIE

To the Student

A computer, which had been programmed to translate from Russian into English, was fed the Russian equivalent of the biblical saying "The spirit is willing, but the flesh is weak." With a blinking of lights and a purring of wheels, it produced the translation "The wine is ready, but the meat is poor."

This computer carried in the wire mesh of its brain as good a dictionary as you will ever have at your disposal in French, but it knew nothing of the Bible, the moral law, the temptations of man, Russian table manners, and the art of cooking—in a word, it was as uncultured as we expect computers to be. This lack of culture incapacitated it for translation; for language is not a set of symbols, called "words," strung together according to certain rules, called "grammar." Language exists only within a certain culture and is understandable only as a part of that culture. The English word *bus* cannot be understood by a man born on a desert island who has never seen a bus, no matter how good his dictionary; and the French word *autobus* is translated very poorly by our word *bus,* since French and American buses don't look alike.

A language, indeed, comes alive only within the culture of which it is a part. The term *culture,* in this sense, covers the entire gamut of social phenomena of a certain society, from table manners to opera production, and from the art of cooking to the style of poetry. The definition of culture once given by a German writer was "Culture is Goethe [*a famous German writer*] plus aspirine [*a famous German invention*]."

The book before you supplements your study of French by introducing you to France and to French culture. Keep in mind that the content of this book is not just a pretext for feeding you French words; its content is important, and you should take it seriously.

This is, at the same time, your first try at reading a French text. Of the four skills involved in language learning–reading, writing, speaking, and listening–reading is the easiest. That is why you can confidently tackle it so soon. Yet, reading French is a new skill for you, and a few words of advice may be helpful.

Do not try to find an English wording for the French text unless your instructor tells you to do so. Simply read, and know what you are reading. The notes, the illustrations, the end vocabulary, and above all, your common sense, will help you to chart your way. Start by familiarizing yourself with the general plan of this little book. Have a look at the chapter headings, and read the introduction to the end vocabulary.

This book speaks with a French tongue about things French, using the concepts and clichés familiar to a Frenchman. Develop a French ear to hear them.

PREMIÈRE PARTIE

Les Frontières

I

Les facteurs géographiques exercent une influence considérable sur les destinées d'une région et sur la mentalité de ses habitants. Dans ce livre nous allons étudier l'ensemble de la civilisation française. Commençons donc par la géographie.
Voici une carte de la France. 5

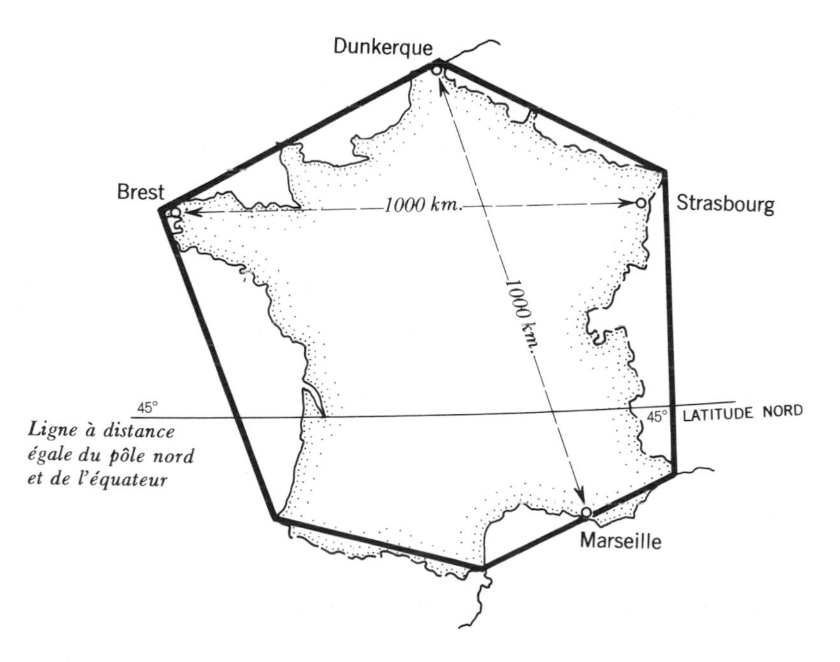

Ligne à distance égale du pôle nord et de l'équateur

Notons que les frontières du pays forment un hexagone, forme géométrique compacte et régulière, qui donne à la France son unité naturelle. Du nord au sud, de l'ouest à l'est, la distance est plus ou moins la même; mille kilomètres de 5 Dunkerque, dans l'extrême nord, à Marseille, dans le sud; mille kilomètres de Brest, dans l'extrême ouest, à Strasbourg, dans l'est. Le train traverse ces mille kilomètres en dix heures.

La France est plus grande que la Californie, mais moins grande que le Texas. C'est le plus grand pays d'Europe à 10 l'exception des territoires européens de l'U.R.S.S.[1]

La plupart des frontières sont des frontières maritimes. La France a, en effet, trois mille kilomètres de côtes et deux mille cinq cents kilomètres de frontières terrestres.

Sa destinée naturelle place donc la France face à l'océan, mais 15 cette même destinée la lie aussi au continent européen.

La Méditerranée, l'Océan Atlantique et l'Europe, c'est là le destin de la France. Ce destin est déterminé par les frontières du pays.

Examinons les frontières du pays.

20 La France a accès, dans le sud, à la Méditerranée; dans l'ouest, à l'Océan Atlantique; dans le nord, à la Mer du Nord. L'Amérique, l'Afrique, la Chine, le Japon, les pays scandinaves sont donc ses voisins. La Manche, large de trente et un kilomètres seulement entre Calais et Douvres, sépare la France de 25 l'Angleterre.

Comme les frontières maritimes, les frontières terrestres de la France sont aussi en grande partie des frontières naturelles. Les Pyrénées séparent la France de l'Espagne, les Alpes de l'Italie, le Jura de la Suisse; plus au nord, le Rhin forme la 30 frontière entre la France et l'Allemagne. Ces frontières naturelles, qui forment un hexagone magique sur la carte de l'Europe, sont à la base d'une doctrine politique de grande

1 **U.R.S.S.** Union des Républiques Socialistes Soviétiques.

importance dans l'histoire de la France: la doctrine que ces côtes, ces montagnes et ces rivières prédestinent la France à occuper un certain territoire; que l'occupation de ce territoire est le destin manifeste de la nation; que les frontières naturelles du pays sont marquées sur la carte par le doigt de Dieu. 5

Il y a pourtant dans le nord-est une frontière artificielle entre la France, l'Allemagne, la Belgique et le Luxembourg, la seule frontière artificielle de la France. La défense militaire de cette région est le problème stratégique prépondérant dans l'histoire de la nation française. Cette frontière du nord-est est comme 10 une porte ouverte. Par cette frontière passent les invasions militaires, mais par là passent aussi les échanges culturels.

Les Montagnes

2

Si l'hexagone magique est le symbole de l'unité naturelle de la France, le climat, les montagnes, les plaines et les rivières donnent à cet hexagone une variété infinie. La France est, en effet, l'Europe en miniature. On y trouve des glaciers comme en Suisse, des palmiers comme en Espagne, des plaines arides comme en Allemagne du Nord, et des vallées fertiles comme en Italie.

Les deux chaînes de montagnes les plus élevées sont les Alpes et les Pyrénées.

Dans les Alpes sont situés plusieurs massifs couverts de glaciers, notamment le Mont Blanc, qui, avec quatre mille huit cents mètres d'altitude, est le point le plus élevé du continent européen. On a construit sous cette montagne gigantesque un tunnel pour relier par une autostrade moderne Genève, grande ville suisse, à Milan, métropole italienne. Un téléférique, de construction extrêmement hardie, permet de traverser la montagne et ses glaciers énormes en passant de Chamonix, situé au pied du Mont Blanc en territoire français, au terminus du téléférique, qui se trouve déjà en Italie.

Un téléférique de construction hardie permet de traverser les glaciers du Mont Blanc. (French Government Tourist Office, Beverly Hills)

Les Pyrénées forment une véritable muraille, une barrière massive entre la France et l'Espagne. (French Government Tourist Office, San Francisco—Karquel)

Les grands pics des Pyrénées sur la frontière espagnole sont moins hauts que les sommets des Alpes; mais les cols des Pyrénées sont plus élevés, de façon que cette chaîne de montagnes représente une véritable muraille, une barrière massive entre la France et l'Espagne. On dit que l'Europe finit et que l'Afrique commence aux Pyrénées.

Une troisième chaîne de montagnes, le Jura, forme la frontière entre la France et la Suisse. C'est une montagne de faible élévation.

Ces trois montagnes, les Alpes, les Pyrénées et le Jura, sont du point de vue géologique des montagnes jeunes. C'est pourquoi elles sont, en général, assez hautes et d'un aspect pittoresque, aux silhouettes irrégulières.

Les Vosges, au nord du Jura, le Massif Armoricain,[1] en Bretagne, et le Massif Central, situé au centre de la France, sont des montagnes de formation plus ancienne, d'élévation modeste, aux formes arrondies. Le Massif Central est la plus vaste et la plus importante de ces régions montagneuses. C'est un ensemble de plateaux, d'anciens volcans, de collines et de crêtes qui occupe un sixième du territoire français. Beaucoup de fleuves et de rivières ont leur source dans cette région.

Entre les diverses régions montagneuses se trouvent des plaines traversées de collines. Les plaines du nord et de l'ouest sont la continuation de la grande plaine qui traverse le nord de l'Europe. La section française de cette plaine se divise en deux parties: le Bassin Parisien et le Bassin Aquitain.[2] Entre le Massif Central et les Alpes s'étend une vallée longue de six

1 **Massif Armoricain** *Ar Mor* est le nom celtique de la côte bretonne. Les habitants de cette province sont de race celtique et parlent celtique. *Ar Mor* veut dire *la mer*.

2 **Bassin Aquitain** L'Aquitaine, appelée en latin *Aquitania,* était une province de la Gaule romaine située entre la Loire, le Massif Central et les Pyrénées.

cents kilomètres qui constitue, depuis l'antiquité, une importante voie de circulation entre le Bassin Parisien et la Méditerranée.

Les Fleuves

3

La France est particulièrement riche en fleuves et rivières. Il pleut ou neige plus ou moins régulièrement sur tous les points du territoire français de façon que la France n'a pas de région absolument sèche.

Quatre fleuves, la Seine, la Loire, la Garonne et le Rhône, drainent avec leurs affluents les trois quarts du territoire français.

La Seine est le fleuve du Bassin Parisien. Elle a sa source au nord du Massif Central, traverse trois provinces importantes —la Champagne, L'Île-de-France et la Normandie—et se jette dans la Manche. Sur la Seine sont situés Paris, capitale de la France; Rouen, ville du Moyen Âge célèbre par Jeanne d'Arc;[1] et, sur l'estuaire du fleuve, Le Havre, grand port où débarquent les touristes américains qui visitent la France.

La source de la Loire se trouve dans le Massif Central. C'est le plus long des fleuves français. Saint-Nazaire, avec ses grands chantiers navals, et Nantes sont des ports importants situés sur l'estuaire qui forme l'embouchure de la Loire. Malheureusement des bancs de sable opposent des obstacles à la naviga-

1 **Jeanne d'Arc** L'héroïne nationale de la France, née à Domremy, en Lorraine, en 1412, brûlée vive à Rouen en 1431. Son intervention dans la guerre de Cent Ans entre la France et l'Angleterre est une des gloires du patriotisme français.

tion sur ce fleuve qui donne accès au cœur même de la France. La Loire coule d'abord vers le nord, puis elle forme un grand coude, traverse la ville d'Orléans, et entre en Touraine, une des provinces françaises. La capitale de la Touraine, Tours, 5 est située au centre d'une grande région touristique. On appelle cette partie de la vallée de la Loire entre Orléans et Tours le «jardin de la France». C'est une des régions les plus charmantes du pays. Ses nombreux châteaux représentent sa grande attraction historique et artistique. Cette vallée était au Moyen Âge 10 et pendant la Renaissance le lieu de prédilection des rois de France et des grands seigneurs, constructeurs de ces merveilleux châteaux.

La Garonne a sa source dans les Pyrénées espagnoles. La première partie de ce fleuve a un caractère torrentiel, mais à 15 Toulouse, c'est déjà un fleuve lent et régulier. Il forme un estuaire très large et profond, la Gironde, qui offre des possibilités magnifiques pour la navigation. La Gironde forme en même temps l'embouchure de la Dordogne, célèbre par sa vallée pittoresque. La grande ville de Bordeaux, port maritime 20 important, ville industrielle moderne et centre commercial d'une région qui produit beaucoup de vin, se trouve sur la Gironde, à quatre-vingts kilomètres de la mer. Une autre ville intéressante située sur la Garonne est Toulouse, au pied des Pyrénées, l'ancienne capitale des comtes de Toulouse, qui, au 25 Moyen Âge, étaient les protecteurs des troubadours.[2] C'était déjà une grande ville quand Paris était encore un village.

Le Rhône est le plus puissant, le plus abondant et le plus rapide des fleuves français. Il pose des problèmes difficiles à la navigation, mais il fournit d'autre part, comme la Garonne 30 et la Dordogne, des quantités importantes d'énergie hydroélectrique. Les barrages de Génissiat, Donzère-Mondragon et

[2] **Troubadours** Poètes du Moyen Âge. Leur poésie est en provençal.

Montélimar sont les plus grands d'Europe et représentent un effort magnifique de la technique française. Le Rhône a sa source dans les Alpes suisses, où il est un torrent alimenté par des glaciers. Il traverse le lac de Genève et la grande ville suisse, de langue française, qui donne son nom au lac, et entre ensuite en France. Après son confluent avec la Saône, à Lyon, il coule vers le sud par un corridor entre les Alpes et le Massif Central. Lyon est l'ancienne capitale de la Gaule[3] et était le centre religieux de la Gaule chrétienne. Aujourd'hui, c'est une ville importante par sa production de soie, de rayonne et d'autres produits textiles. Plus au sud, le Rhône forme la limite entre la Provence, à l'est, et le Languedoc, à l'ouest, provinces anciennes qui étaient des centres de la civilisation romaine en Gaule. Nîmes, Arles et Avignon sont parmi les villes historiques de cette région, remarquables par leurs monuments romains et médiévaux. Au sud d'Arles le Rhône forme un énorme delta, la Camargue. C'est une région marécageuse au climat presque tropical où l'on cultive même du riz. Il y a dans la Camargue des chevaux et des taureaux sauvages, et parfois on peut encore voir les pittoresques gardians de ces animaux sur leurs petits chevaux rapides.

Il y a en France environ deux cents cours d'eau qui drainent le sol, arrosent la campagne, et facilitent les communications. Beaucoup de ces cours d'eau sont, en effet, navigables. Grâce au Massif Central, situé au milieu du pays, ils coulent dans toutes les directions. C'est pourquoi ils jouent un rôle très important dans le transport de marchandises, surtout de charbon, matériaux de construction, pétrole et produits agricoles non périssables. La France possède, en outre, un réseau magnifique

[3] **Gaule** La Gaule Transalpine, ou Gaule au delà des Alpes, était une province romaine conquise par Jules César de 58 à 51 avant Jésus-Christ. La France, la Belgique, la Suisse et une partie de la Hollande et de l'Allemagne occupent aujourd'hui son territoire. Le nom latin de la vallée du Pô, en Italie du nord, était *Gallia Cisalpina,* ou Gaule en deçà des Alpes.

de canaux. Ces canaux doublent les fleuves là où la navigation est trop difficile et relient les bassins des divers fleuves et rivières les uns aux autres. Il est, en effet, possible de traverser la France en bateau de la Mer du Nord à la Méditerranée. Les 5 cours d'eau français ont une longueur totale de dix mille kilomètres, et plus de la moitié de ces cours d'eau sont des canaux artificiels. Une flotte de quarante mille embarcations, plus ou moins grandes, plus ou moins modernes, naviguent sur ce réseau énorme de fleuves, rivières et canaux, et trans- 10 portent des marchandises d'une région à l'autre. Il y a des milliers de personnes qui passent toute leur vie à bord d'une péniche, et on voit souvent des familles entières sur ces embarcations: le père, qui manœuvre la péniche; la mère, qui fait sa lessive; et des enfants, nés sur ce bateau. Les transports 15 fluviaux et la construction de ce réseau de canaux sont une des préoccupations des gouvernments de la France depuis le 17e siècle. Le canal du Midi, qui relie la Garonne à la Méditerranée, est l'œuvre de Louis XIV,[4] et date de cette époque.

Aujourd'hui, des canaux importants relient tous les fleuves 20 de France entre eux et forment un circuit complet de façon que même des villes situées loin de la mer, comme Paris, Lyon, Rouen et Strasbourg, sont des ports très importants. Près de l'île qui forme le cœur de Paris et où se trouve aussi la cathédrale de Notre-Dame—elle s'appelle Île de la Cité[5]—la Seine 25 offre un aspect très pittoresque avec ses centaines de péniches qui viennent à la capitale de tous les points du pays.

[4] **Louis XIV** Louis le Grand, roi de France de 1638 à 1715, était le monarque le plus brillant dans l'histoire de la France. Son règne représente l'apogée de la civilisation française, son siècle est «le grand siècle», et le château de Versailles perpétue la gloire de sa cour.

[5] **Île de la Cité** Ce quartier forme le centre historique de Paris.

Le Havre
Rouen
PARIS
Seine
Strasbourg
Rhin
Orléans
St.-Nazaire
Nantes
Tours
Loire
Saône
Genève
Rhône
Gironde
Lyon
Bordeaux
Dordogne
Rhône
Garonne
Avignon
Nîmes
Toulouse
Canal
du Midi
Arles

Le Climat et la Végétation

4

Grâce à sa latitude et à l'influence de l'océan, la France a un climat tempéré. L'absence de caractères extrêmes donne cette impression de modération que le Français aime considérer comme le trait fondamental du génie français. Mais en même temps, on note une diversité extraordinaire due à l'altitude, à la configuration du pays, à l'influence des vents locaux et à la proximité plus ou moins grande de la mer. Cette variété dans le détail d'une région à l'autre, d'une vallée à l'autre, souvent d'un village à l'autre, est également caractéristique de la France, pays de l'individualisme.

La France se trouve à distance égale de l'équateur et du pôle nord; elle est donc entièrement située dans la zone tempérée. Mais si nous comparons le climat de Paris avec celui du nord des Grands Lacs ou du sud de la Russie, situés sur la même latitude, nous voyons une différence extraordinaire. Au Canada et en Russie, il y a des contrastes énormes entre la température d'été et celle d'hiver; le Saint-Laurent gèle pendant quatre mois chaque hiver. A Paris, par contre, il ne gèle jamais et il neige rarement. L'influence de l'océan et, en particulier, celle du Gulf Stream, courant chaud qui vient du golfe du Mexique, et qui touche la côte européenne au nord de la Bretagne, apporte ces modifications au climat déterminé, d'une façon générale, par la latitude.

Nous distinguons à l'intérieur de la France trois zones climatiques: la zone atlantique, la zone méditerranéenne et la zone continentale.

La zone atlantique comprend l'ouest du pays, la zone méditerranéenne le sud-est et la vallée du Rhône au sud de Lyon, la zone continentale l'est et le Massif Central.

Sur la côte de l'Atlantique les étés sont frais, les hivers tièdes. Les écarts de température sont donc minimes et il ne gèle jamais. Il pleut beaucoup en hiver et en été, surtout en Bretagne et le long de la Manche. Dans ces régions, il pleut cent quatre-vingts jours par an, et ce sont des pluies persistantes qui durent des journées entières. Les brouillards sont fréquents, surtout en hiver, quand ils présentent un grand danger pour la navigation. L'atmosphère est toujours humide, la végétation abondante. La Bretagne est un pays vert.

Le climat du Bassin Parisien forme la transition entre le climat océanique de la côte et le climat continental de l'est avec ses écarts de température plus prononcés. A Paris, il fait en été un peu plus chaud que sur la côte, en hiver un peu plus froid. Les vents soufflent tantôt de la mer, tantôt du continent; de là, ces changements brusques de température si typiques du climat parisien. Si nous continuons notre voyage vers l'est, nous rencontrons sur le Rhin un climat presque continental. Il fait plus chaud qu'à Paris en été; il gèle en hiver; il pleut moins, mais les pluies sont courtes et abondantes; ce sont souvent des orages. Dans les montagnes, enfin, dans les Alpes, les Vosges, le Jura et le Massif Central, nous trouvons des hivers rigoureux et des neiges éternelles à l'altitude de deux mille cinq cents mètres.

Le climat méditerranéen, qui ressemble beaucoup à celui de la Californie, est bien différent. Les hivers sont courts et tièdes. C'est pourquoi la Côte d'Azur, entre Toulon et Menton, est le paradis des touristes. Les étés sont longs, très chauds et secs. La Méditerranée est une mer extrêmement tiède, même en hiver, et c'est pourquoi les plages de la Côte d'Azur sont si agréables. Il pleut très peu, en moyenne cinquante-cinq jours par an; de là, ce ciel toujours bleu et cette atmosphère radieuse qui attire les artistes et les amateurs de photographie.

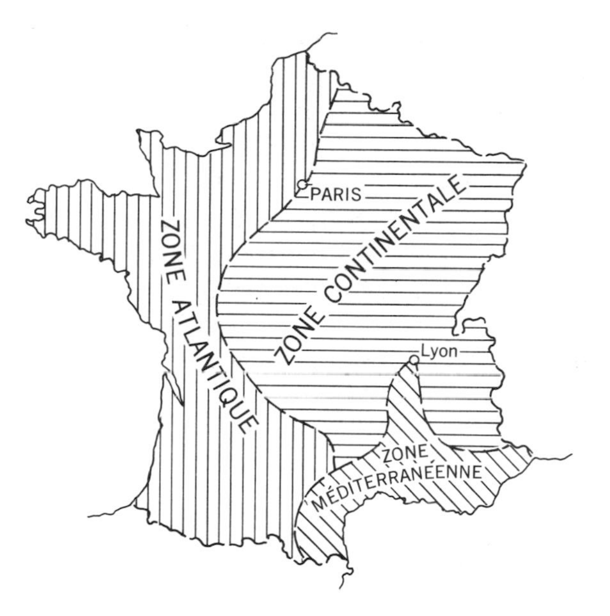

Le climat détermine la végétation. Dans la zone méditerranéenne nous trouvons peu de prairies vertes, peu de forêts, mais plutôt le maquis[1] qui couvre les collines du midi. Les arbres typiques de cette région sont l'olivier, l'oranger, le citronnier et le mûrier.

Dans la zone atlantique, par contre, les prairies et les forêts sont abondantes. Parmi les arbres, ce sont le peuplier, le châtaignier, le chêne et le hêtre qui prédominent; dans les mon-

1 **Maquis** Végétation qui couvre les collines de la région méditerranéenne. Les arbres y sont rares. Le maquis de l'île de Corse était, au 19e siècle, le refuge de bandits. C'est ainsi que cette expression prend la signification de «bandits». Pendant l'occupation de la France, de 1940 à 1944, les Allemands considèrent la Résistance des patriotes français comme un acte de banditisme, et appellent cette Résistance «maquis». Acceptée comme terme d'honneur par ces patriotes, l'expression prend alors la signification de Résistance anti-allemande.

tagnes on trouve le pin et le sapin. Il y a beaucoup de blé et, comme dans le midi, on cultive la vigne dans beaucoup de régions. La Bretagne et les côtes du nord sont trop humides et trop brumeuses pour la culture de la vigne. C'est la région
5 des vastes prairies, des pâturages et des pommiers de Normandie.

Notons l'extraordinaire variété des produits du sol français. En France, il y a des sapins comme en Scandinavie et des orangers comme en Grèce. Chaque région produit sa spécialité, du pâté de foie gras[2] de Strasbourg au pré-salé[3] de Bretagne,
10 des truffes[4] du Périgord[5] aux escargots de Bourgogne. Une carte gastronomique, sur laquelle le Périgord est marqué par une truffe et Strasbourg par un pâté, peut servir de première introduction à la diversité des provinces françaises.

2 **Pâté de foie gras** Délicatesse régionale préparée avec du foie d'oie. On gave les oies de façon que le foie se charge de graisse. C'est pourquoi on parle de pâté de foie *gras*.

3 **Pré-salé** Sorte de viande qui a un goût particulier très apprécié par les gourmets.

4 **Truffes** Sorte de champignons très savoureux qu'on trouve au pied de certains chênes. Il y a des chiens dressés à dépister les truffes.

5 **Périgord** Région du nord-est du bassin d'Aquitaine.

La Carte Gastronomique

5

Sur une carte gastronomique de la France chaque région est représentée par les spécialités de sa cuisine, qui, à son tour, reflète le caractère de la province et utilise les produits de son sol.

Ainsi, le cidre est la boisson favorite en Normandie, riche en pommiers. D'autre part, dans la région de Bordeaux, célèbre par ses vins, c'est la coutume de verser un peu de vin rouge dans la soupe avant de manger la dernière cuillerée.

On trouve dans le Guide Michelin[1] douze restaurants français que cette bible des gourmets honore d'une mention spéciale. La plupart de ces restaurants se trouvent en province. A Paris, il y a naturellement de tout. A Paris, il y a des restaurants chinois et des restaurants mexicains, des restaurants élégants où le dîner coûte deux cent cinquante francs,[2] et des établissements modestes, comme la «Caféteria California», qui offre «la bonne cuisine française dans le confort américain». Mais il faut aller en province pour trouver la cuisine typiquement française–les bons petits plats qui perpétuent de génération

1 **Guide Michelin** Guide pour touristes publié par une grande manufacture de pneus.
2 **Franc** Unité monétaire en France, en Belgique et en Suisse. Cinq francs français égalent à peu près un dollar américain. Un franc a cent centimes.

en génération la grande tradition de la gastronomie française, les recettes transmises de mère en fille. C'est en province que la cuisinière trouve dans son petit jardin les fines herbes qui servent à la préparation de ces plats.

5 Les deux caractéristiques importantes de la cuisine française —de «l'art de faire bonne chère» pour citer la définition que le dictionnaire donne du mot *gastronomie*—ces deux caractéristiques sont le soin extraordinaire, minutieux, que le Français consacre à la préparation des plats, et le cérémonial quasi re-
10 ligieux qui entoure leur consommation.

L'exemple de Vatel, maître d'hôtel du Prince de Condé,[3] montre l'importance que le Français attache à l'art de bien manger. Madame de Sévigné,[4] grande dame du 17ᵉ siècle, rapporte dans sa correspondance comment le Grand Condé, le plus
15 important des seigneurs de l'époque, invite le roi Louis XIV à souper dans son château de Chantilly;[5] comment Vatel s'inquiète parce que le poisson pour le souper du roi n'arrive pas à temps; et comment ce cuisinier modèle se suicide finalement parce qu'il se croit déshonoré. C'est un Français, Brillat-
20 Savarin, gourmet et écrivain, qui, au 19ᵉ siècle, publie tout un livre, une sorte d'encyclopédie, sur l'art de bien manger et boire, intitulé *Physiologie du Goût.*

Il y a à Paris et dans les grandes villes des magasins modernes «self-service» à la mode américaine et des produits surgelés
25 qui facilitent le travail de la cuisinière. Mais en général la

[3] **Prince de Condé** Le plus important des seigneurs français sous Louis XIV. Sa famille était une branche de la dynastie royale des Bourbon et souvent sa rivale au cours de l'histoire. Le Prince de Condé lui-même était impliqué dans une conspiration politique contre le roi, appelée la Fronde.

[4] **Madame de Sévigné** Marie de Rabutin-Chantal, Marquise de Sévigné, était une grande dame à la cour de Versailles. Sa correspondance occupe une place importante dans l'histoire de la littérature française. Son style est brillant, et révèle sa riche imagination, son humour, sa sensibilité et son talent d'observation. Cette correspondance, adressée à sa fille et à ses amis, donne une idée excellente de la vie à la cour de Versailles.

[5] **Château de Chantilly** Château de la Renaissance près de Paris.

Il y a des magasins «self-service,» mais la Française préfère le marché du bon vieux temps. (French Government Tourist Office, San Francisco)

Française préfère les procédés du bon vieux temps, et on voit souvent la ménagère française passer quatre à cinq heures par jour à préparer avec un soin méticuleux les repas pour sa famille. La famille passe une bonne partie du reste de la journée à consommer, avec l'attention qu'ils méritent, ces chefs-d'œuvre de l'art culinaire. «On mange pour vivre, on ne vit pas pour manger» dit un grand écrivain français, mais beaucoup de Français n'observent pas cet excellent précepte.

Est-il donc étonnant que la carte gastronomique de la France nous révèle de véritables merveilles de raffinement? Comme toutes les civilisations très anciennes, la France a développé au plus haut degré l'art de vivre, et de vivre agréablement. Grâce à la variété des ressources naturelles, cet art varie de province en province.

La Provence est la région située à l'est du Rhône, dans le sud-est de la France. Elle offre dans sa cuisine une variété de
5 plats plus grande que tout autre province—quatre cent dix-neuf plats différents et quarante-six poissons différents. La Provence est, en effet, le pays du poisson, mais aussi de l'ail, des tomates et du piment, le tout assaisonné des fines herbes qui poussent en abondance dans les Alpes Maritimes, près de la côte. Pour
10 la préparation des plats, on se sert de l'huile d'olives, qui est aussi caractéristique de la cuisine du midi que le beurre de la cuisine du nord. La bouillabaisse, par exemple, le plat provençal classique, est une soupe contenant neuf variétés de poisson et de fruits de mer, préparée avec de l'huile et du vin blanc,
15 et assaisonnée de fines herbes. La bouillabaisse, c'est toute la Provence dans un bol, disent les gens de Marseille.

La Normandie, qui est le pays des vaches, du lait et du beurre, produit vingt et un fromages différents, comme le camembert, le seul fromage honoré par un monument en pierre.
20 Ce monument se trouve dans un petit village normand et représente la ménagère qui, suivant la tradition, a inventé ce fromage.

La mer fournit à la Bretagne une de ses spécialités, le présalé. C'est la viande de moutons engraissés dans les pâturages
25 le long de la côte, viande qui a un goût spécial à cause du sel que contient l'herbe.

Certains plats de la cuisine française sont pour l'étranger des curiosités presque exotiques. L'imagination exubérante et la patience illimitée des cuisiniers qui préparent ces mets
30 délicieux justifient les prix, parfois assez chers, qu'il faut payer dans les restaurants de luxe pour les goûter.

Ainsi, les grands restaurants de Bretagne nous offrent du homard à la sauce de cognac. En Touraine, on peut essayer du pâté d'alouettes ou du filet de marcassin—on appelle ainsi les
35 petits sangliers de moins d'un an. Lyon, qu'un gourmet célèbre

a appelé la capitale gastronomique du monde, offre comme spécialité régionale du fromage fondu au vin blanc, appelé Fondue Savoyarde, d'après la Savoie, région qui comprend la plus grande partie des Alpes françaises. La Bourgogne, province de l'est, a ses escargots assaisonnés à l'ail; la Flandre, voisine de la Belgique, son anguille cuite à la bière; la Champagne, au nord de la Bourgogne, ses viandes cuites au champagne, le vin mousseux qui a rendu célèbre dans le monde entier le nom de cette province. Près de la Champagne, sur la frontière allemande, se trouve l'Alsace, où nous terminons notre tour gastronomique de la France. C'est l'influence allemande qui domine la cuisine alsacienne. C'est le pays de la bonne bière, du pâté de foie gras de Strasbourg et de la choucroute garnie de saucisses.

L'individualité très nette de la cuisine dans chaque province est un des indices de la personnalité distincte de chacune de ces régions.

Départements et Provinces

6

La France est divisée en quatre-vingt-quatorze départements —en plus de Paris—subdivisés, à leur tour, en arrondissements. Un département comprend de deux à cinq arrondissements. L'arrondissement se divise en cantons, le canton en communes. Une commune, c'est tantôt un petit hameau de quelques maisons ensemble avec les champs qui l'entourent, tantôt une grande ville comme Bordeaux ou Marseille. La France en compte trente-huit mille.

A la tête de la commune, il y a un maire choisi par un conseil municipal, qui, à son tour, est élu par les électeurs de la commune. La commune est l'élément le plus vigoureux de la structure administrative du pays. Elle a son budget, sa police, ses routes, ses écoles, ses services d'assistance publique qui aident les pauvres. Le canton et l'arrondissement, au contraire, ne sont que des roues dans la machinerie administrative; ils servent à assurer l'exécution des lois sur le plan local. Chaque canton a son chef-lieu où l'on trouve un juge de paix, un notaire, une brigade de gendarmerie.[1] Des bureaux administratifs plus importants se trouvent à la sous-préfecture, chef-

[1] **Gendarmerie** Troupe armée qui assure l'ordre et la sécurité à l'intérieur du pays.

lieu de l'arrondissement, et à la préfecture, chef-lieu du département. Et le préfet et le sous-préfet, administrateurs du département et de l'arrondissement respectivement, sont nommés par le conseil des Ministres et reçoivent leurs ordres 5 du ministère de l'Intérieur à Paris.

Le préfet est un personnage d'une importance considérable. Il est assisté par un conseil général, élu par les électeurs du département à raison d'un membre par canton.

Pour nous faire une idée du département, prenons comme 10 exemple le département des Alpes Maritimes, situé dans l'extrême sud-est du pays, entre les plages jaunes de la Méditerranée et les cimes des Alpes. Il a environ cinq cent mille habitants. Des fleuves et des montagnes ont donné leur nom à la plupart des départements, et il en est ainsi du département 15 des Alpes Maritimes. La préfecture est à Nice, reine de la Côte d'Azur avec ses hôtels blancs face à la Méditerranée toujours bleue, son casino, sa Promenade des Anglais[2] le long de la plage. Il y a une sous-préfecture à Grasse, petite ville aux confins de la plaine, d'où viennent la plupart des fleurs dont 20 on fabrique les parfums français. A Nice, on trouve un bureau qui s'occupe de l'entretien des routes départementales; une chambre de commerce, qui organise l'effort commercial et industriel de la région; une académie, qui surveille le bon fonctionnement des écoles; un grand lycée, une école normale, et 25 d'autres écoles importantes. On y trouve, de plus, une succursale de la Banque de France,[3] une garnison militaire, un bureau central de la gendarmerie, et plusieurs autres centres administratifs. Ces administrations, qui dépendent toutes directement du gouvernement central à Paris, assurent une co- 30 hésion étroite entre la capitale et ce département lointain. Tout ordre du gouvernement passe par cette chaîne de commande-

[2] **Promenade des Anglais** Rue élégante qui domine la plage à Nice.
[3] **Banque de France** Cette banque, fondée sous Napoléon en 1800, et nationalisée en 1945, après la guerre, détient le privilège de l'émission des billets de banque.

ment du ministère de l'Intérieur aux préfets et aux sous-préfets, qui le transmettent aux maires des communes. En direction inverse, cette même chaîne permet aux administrateurs locaux de communiquer avec le gouvernement central à Paris. C'est ainsi que la division de la France en départements est une des garanties importantes de l'unité et de la centralisation du pouvoir.

Chaque lettre écrite en France rappelle la division du pays en départements car, sur l'enveloppe, on ajoute toujours entre parenthèses le nom du département, en général abrégé, après celui de la ville.

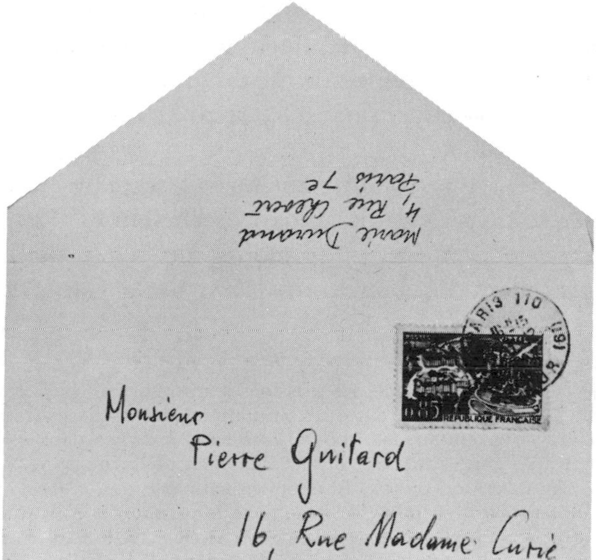

Sur l'enveloppe d'une lettre on ajoute toujours le nom du département.

Cette division du pays en départements remonte à la Révolution française. Avant la Révolution de 1789—c'est-à-dire sous l'ancien régime—la France était répartie en trente-cinq provinces,[4] appelées alors généralités. L'Assemblée Constituante,[5]
5 chargée de donner une constitution à la France révolutionnaire, voulait d'abord diviser le pays en quatre-vingts carrés absolument égaux. C'est la philosophie rationaliste du 18e siècle, la philosophie de Voltaire[6] et de Diderot,[7] qui inspirait cette manie de la géométrie. L'Assemblée Constituante voulait baser
10 le nouveau régime sur la raison, et le carré lui semblait, par sa forme régulière, plus raisonnable qu'une province aux limites irrégulières. On retrouve sur la carte des États-Unis, également inspirées par le rationalisme révolutionnaire de cette époque, les frontières rectilignes des états. Mais l'Assemblée Consti-
15 tuante a vite compris l'impossibilité de couper ainsi en carrés un pays aussi vieux que la France. Le résultat était la division du pays en départements.

C'est que les divisions administratives actuelles perpétuent, en effet, le souvenir de divisions très anciennes. Les départe-
20 ments correspondent plus ou moins aux *cités* de la Gaule romaine, les arrondissements aux *clans* de la Gaule celtique,[8]

[4] **Provinces** Sous l'ancien régime, les divisions territoriales du pays étaient différentes pour l'Église, pour les autorités militaires, pour l'administration judiciaire, et pour la perception des impôts. Le terme *province* dans le sens strict du mot était à l'origine synonyme de fief immédiat de la couronne.

[5] **Assemblée Constituante** Première assemblée nationale qui, entre 1789 et 1791, a voté la Déclaration des droits de l'homme et la première constitution.

[6] **Voltaire** Nom de plume de François-Marie Arouet, 1694–1778. Voltaire était la personnalité la plus influente dans la littérature du 18e siècle, le siècle des Lumières.

[7] **Diderot** Denis Diderot, 1713–1784, est le représentant typique du siècle des Lumières. C'est le fondateur de l'*Encyclopédie ou Dictionnaire raisonné des Sciences, des Arts et des Métiers,* en vingt-huit volumes, qui joue un rôle de premier ordre dans le développement de la philosophie rationaliste.

[8] **Gaule celtique** Les Celtes étaient les habitants primitifs de l'Europe centrale, mais on les trouve plus tard en Gaule, en Espagne, dans les îles Britanniques et en Asie Mineure. Aujourd'hui on parle celtique au pays de Galles, en Irlande et en Bretagne. Les termes *Gaule celtique* et *Gaule romaine* servent à faire la distinction entre la Gaule avant et après sa conquête par Jules César.

pré-romaine. Les territoires placés sous l'administration d'un archevêque ou d'un évêque coïncident exactement avec les provinces et les cités de la Gaule romaine.

Cette continuité des unités administratives celtiques, romaines et médiévales assure à la France une variété qui contraste d'une façon heureuse avec l'uniformité et la monotonie de la civilisation moderne. Si les départements sont la garantie de l'unité du pays, les provinces représentent sa diversité: diversité dans la configuration géographique, le climat, le paysage, les métiers, les ressources naturelles, les dialectes, les traditions populaires, l'architecture des villes, le costume régional, la cuisine, la musique, les danses, le folklore.

Ce contraste entre des traditions vénérables et une civilisation parfois ultramoderne fait le charme de la France, qui est un pays à la fois très ancien et très moderne.

Les anciennes provinces historiques ne sont plus aujourd'hui des divisions administratives, mais leur personnalité distincte, résultat de leur histoire, est néanmoins une des réalités les plus évidentes de la vie française. Les provinces correspondent tantôt à des régions qui, au Moyen Âge, étaient des fiefs immédiats de la couronne, comme la Champagne; tantôt à d'anciennes *cités* gauloises, comme la Touraine; tantôt simplement à une région géographique, comme la grande plaine au nord d'Orléans qui s'appelle la Beauce, et qui n'est pas une province proprement dite.

L'Île-de-France, appelée ainsi parce qu'elle est bordée par des fleuves de tous côtés, était le domaine de Clovis,[9] roi franc qui, au 5e siècle, a conquis la Gaule romaine. C'est donc là qu'a commencé l'histoire de la France; c'est là que se trouve sa capitale; c'est de là que dérive sa langue. Au nord de l'Île-de-

[9] **Clovis** Clovis, 466–511, roi des Francs, qui étaient une tribu germanique. Clovis a conquis la Gaule grâce à des victoires sur les Romains, à Soissons, et sur une autre tribu germanique, les Visigoths, à Vouillé. On le considère comme le fondateur de la monarchie française. Il fait de Paris la capitale du royaume et assure, par sa conversion, le triomphe du christianisme en France.

France se trouvent la Flandre et la Picardie, pays frontière depuis des siècles, dévasté par maintes invasions depuis le temps des Normands jusqu'à la guerre de 1939. La fertile Normandie est une province que le roi Charles le Simple était forcé de 5 donner, en 911, aux Normands, envahisseurs redoutables qui, en échange, devaient reconnaître le roi comme leur suzerain. La Bretagne a mené une existence relativement isolée jusqu'à une époque récente. On y trouve encore aujourd'hui une population qui parle celtique et qui perpétue les coutumes pit- 10 toresques du passé. Nous avons déjà mentionné la Touraine et ses châteaux, la Champagne et ses vignobles. L'Alsace et la Lorraine forment la région frontière entre la France et l'Allemagne. Les conflits séculaires entre ces deux nations ont eu une influence profonde sur cette contrée. La Bourgogne est 15 une autre province de l'est qui était pendant longtemps une unité historique indépendante.

Le Midi est la région au sud de la Loire, région si différente du nord qu'on parle parfois de deux France. Parmi les provinces du Midi, mentionnons l'Auvergne, qui occupe le centre 20 du Massif Central; la Savoie, située aux frontières de la Suisse et de l'Italie; la Gascogne, entre l'Atlantique, la Garonne et les Pyrénées, patrie des Trois Mousquetaires[10] et de Cyrano de Bergerac.[11] Le nom de Gascogne vient de celui des Gascons, Vascons ou Basques, qui habitent les Pyrénées occidentales et 25 la côte nord de l'Espagne.

La Provence et le Languedoc occupent le Midi méditerranéen à l'est et à l'ouest du Rhône respectivement. La région

10 **Trois Mousquetaires** Les héros d'un roman historique d'Alexandre Dumas père, 1802–1870.

11 **Cyrano de Bergerac** Écrivain du 17e siècle. Edmond Rostand a fait de lui le héros d'une comédie (1897) qui excelle par ses vers mélodieux plutôt que par sa véracité historique. Cyrano de Bergerac et les Trois Mousquetaires sont les représentants typiques de la Gascogne, province dont les habitants ont la réputation d'être des fanfarons. Une gasconnade est une fanfaronnade—c'est-à-dire l'action ou le récit d'un fanfaron qui exagère son propre courage.

de France la plus imprégnée de souvenirs de la vie romaine est la Provence. Son nom provient de celui de la *provincia gallica,* ou province gauloise, des Romains. Le nom du Languedoc, ancienne terre romaine qui ressemble à beaucoup d'égards à la Provence, a une origine non moins intéressante. On parle dans le Midi de la France une langue qu'on appelle le provençal. De nos jours, le français littéraire s'impose partout très rapidement grâce à l'enseignement obligatoire, de façon que seulement les vieilles personnes et les habitants de villages isolés parlent encore cette langue. Mais au Moyen Âge, le provençal était une langue très importante. C'est la langue qui a produit la poésie incomparable des troubadours. On distinguait au Moyen Âge le parler du nord de celui du Midi par le mot employé dans les deux langues pour dire *oui.* Dans le nord, on disait alors *oïl,* dans le Midi *oc,* et on distinguait, par conséquent, la langue d'*oïl* et la langue d'*oc.* C'est ce dernier terme qui a donné son nom à la province du Languedoc.

De nos jours, dix divisions nouvelles se superposent à la structure départementale. Ces nouvelles régions, appelées *igamies,*[12] comprenant plusieurs départements et basées sur la communauté d'intérêts économiques, ont été créées au lendemain de la libération[13] pour faciliter la reconstruction d'après-guerre. La réforme continue, cependant, et a pour but de remédier au déséquilibre évident entre Paris et la province, qui faisait de cette dernière, très souvent, un désert économique et culturel. On espère revaloriser la province par une politique de décentralisation.

Ainsi, les nouvelles divisions économiques font entrevoir la

[12] **Igamie** Ce mot a une origine amusante. Le titre officiel des administrateurs placés à la tête de ces nouvelles régions économiques est Inspecteur Général de l'Administration en Mission Extraordinaire. Les initiales donnent *igame,* et de là, *igamie.*

[13] **Libération** La fin de l'occupation allemande en France et de la Seconde Guerre mondiale, en 1945. On appelle la Seconde Guerre mondiale aussi la guerre de 1939, la Première, la guerre de 1914, ou la Grande Guerre.

France de demain; les provinces incarnent, de la Flandre au Languedoc, la diversité de la vie française; les départements, du Pas de Calais[14] aux Alpes Maritimes, son unité, contrôlée et dirigée par Paris.

[14] **Pas de Calais** Nom d'un département situé sur la côte de la Manche.

La Normandie

7

Bayeux est une des villes médiévales de Normandie. Une partie de sa cathédrale gothique, partie plus ancienne que le reste du bâtiment, est de style roman et a été construite quelques années seulement après la conquête de l'Angleterre par les Normands. 5

Un autre souvenir de cette époque si glorieuse pour la Normandie se trouve au musée de Bayeux; c'est un document historique et artistique de tout premier ordre: la tapisserie de la reine Mathilde. Cette broderie, longue de soixante-dix mètres, représente, scène par scène, les préparatifs pour la conquête de 10 l'Angleterre par les Normands, la construction des bateaux, la traversée de la Manche et, finalement, la bataille et la victoire de Hastings, en 1066. Il est certain que ce n'est pas Mathilde, femme de Guillaume le Conquérant, qui a fait cette broderie, mais on la lui attribuait pendant longtemps. 15

Cette ville de Bayeux avec ses trésors historiques est, en quelque sorte, le symbole de la Normandie, de cette province si riche en souvenirs historiques; car cette même ville de Bayeux, qui jouait un rôle si important dans l'épopée normande du 11e siècle, était aussi, en 1944, la première ville française 20 libérée par les alliés, qui venaient de débarquer sur la côte normande.

Les vestiges du passé abondent, pourtant, partout en Normandie. A Caen, par exemple, se trouve le château de Guillaume le Conquérant, aujourd'hui en ruines, et ce célèbre chef normand est enterré dans une des églises de la ville. Dans ce château se trouve la Salle de l'Échiquier,[1] de cet échiquier qui, 5 avant l'adoption du zéro arabe en Europe, rendait seul possible les opérations d'arithmétique et qui a donné son nom à l'administration des finances en Angleterre, à l'*Exchequer*.

La ville historique par excellence est Rouen, avec son Vieux Marché, ses rues médiévales, et ses trois églises gothiques ma- 10 gnifiques, dont la cathédrale. Celle-ci était le sujet favori du peintre impressionniste Monet,[2] qui a peint son grand portail à différentes heures de la journée. Et sur la Place du Vieux Marché, Jeanne d'Arc a été brûlée en 1431. Ville incomparable, où sont nés deux grands auteurs français, Corneille[3] et 15 Flaubert![4]

La Normandie a pourtant d'autres visages aussi. A côté de

[1] **Échiquier** Avant l'introduction des chiffres arabes en Europe (10e siècle), on exécutait les opérations de l'arithmétique à l'aide d'une sorte d'échiquier. C'est que les chiffres romains qu'on employait alors n'ont pas de symbole pour zéro et n'offrent pas la possibilité d'indiquer la valeur d'un chiffre par sa place. L'échiquier facilitait les calculs. Comme la cour de justice normande administrait certaines affaires financières et se servait d'un échiquier, on appelait cette cour, et plus tard la juridiction britannique des affaires financières, l'Échiquier. Le mot *chèque* a la même dérivation.

[2] **Monet** Claude Monet, 1840–1926, était le paysagiste le plus important de l'école impressionniste. Les peintres impressionnistes cherchaient à rendre l'effet changeant de la lumière et de l'air sur les objets.

[3] **Corneille** Pierre Corneille, 1606–1684, est, avec son jeune rival Jean Racine, le représentant le plus important de la tragédie classique du 17e siècle. *Le Cid* est son œuvre principale.

[4] **Flaubert** Gustave Flaubert, 1821–1880, est l'auteur de contes et romans qui cherchent à donner une image objective de la réalité, mais on trouve tout de même dans son œuvre bien des traces de la sensibilité romantique. Son roman *Madame Bovary* marque le commencement du réalisme en littérature.

La cathédrale gothique de Rouen était la favorite du peintre Monet, qui a peint son grand portail à différentes heures de la journée. (French Government Tourist Office, Beverly Hills)

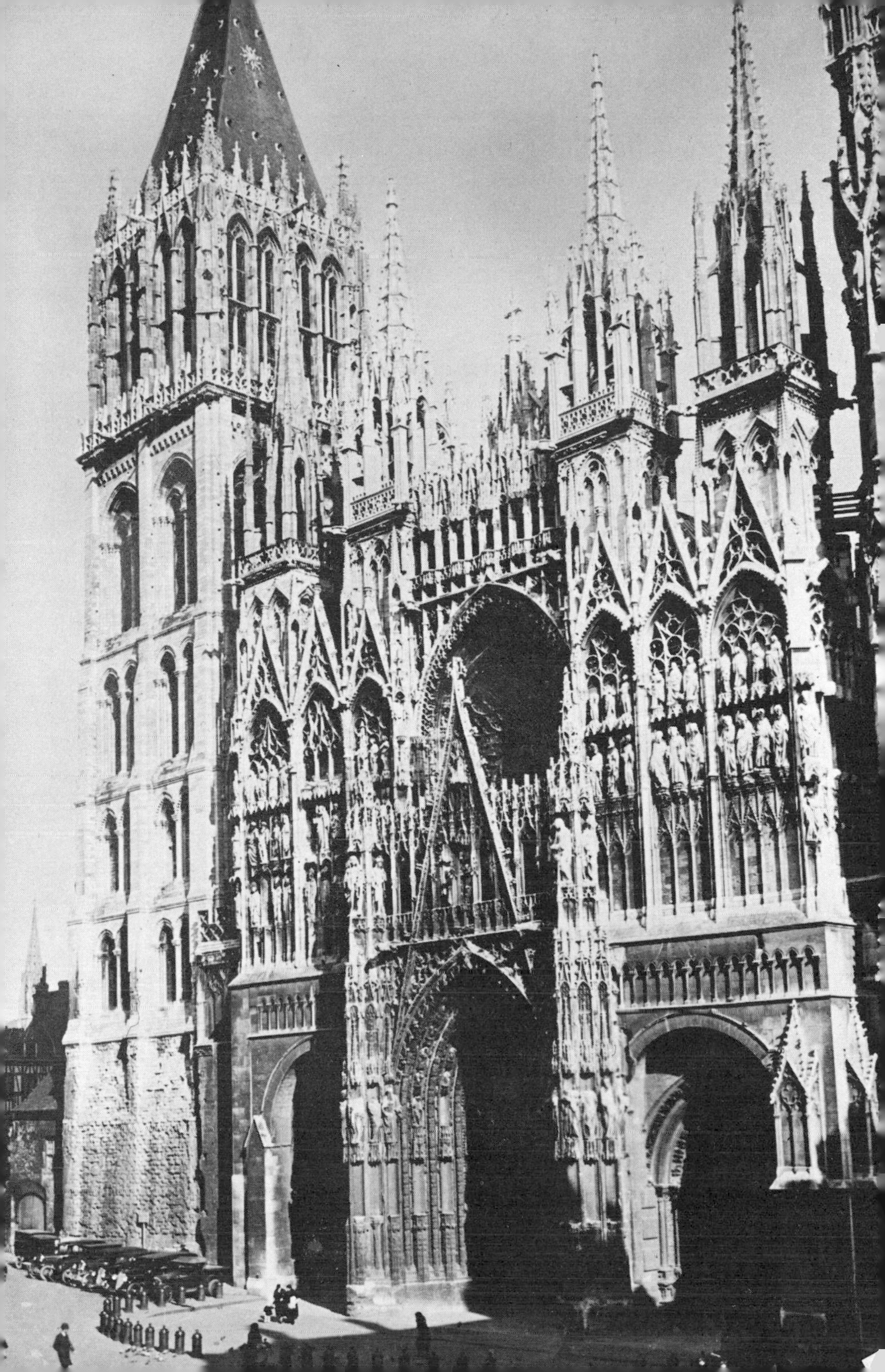

ces sites historiques, on y trouve les mines de fer et les usines métallurgiques de la région de Caen, l'industrie textile concentrée dans la région de Rouen, et le port énorme du Havre, l'un des plus modernes du monde. La campagne normande, enfin, est le pays des prairies toujours vertes, des fermes au toit de chaume, des pommiers et des vaches. C'est le pays qui produit ce cidre, ce beurre, ce lait, ces vingt et un fromages qui font la richesse de la province. L'écrivain Maupassant,[5] Normand lui aussi, disait de sa province si riche que «le sol semble suer du cidre et de la chair».

Ce même Maupassant a trouvé l'inspiration pour les meilleurs de ses contes dans le caractère de ses Normands, qui ont la réputation d'être très économes—avares, disent les mauvaises langues—un peu boutonnés, très bons hommes d'affaires, et conservateurs dans leurs opinions politiques. Leur ruse est proverbiale, de façon qu'on appelle une réponse ambiguë une réponse normande.

Qui étaient donc ces Normands qui ont laissé leur nom à une province?

Ils viennent de Scandinavie—c'est-à-dire du nord—et c'est pourquoi on les appelait les *Northmen,* ou Normands. C'était un peuple d'aventuriers, de pirates et de navigateurs intrépides. Ils étaient de race germanique et parlaient un dialecte germanique. Au Moyen Âge, leurs raids faisaient la terreur de l'Europe. On trouve leur trace un peu partout. Ils occupent la vallée du Dniéper, en Russie; ils attaquent Constantinople; ils fondent un royaume en Sicile. Avec leurs grandes embarcations, ils débarquent à l'embouchure des principaux fleuves de France et ils assiègent même Paris. En 911, le roi de France est finalement forcé à céder au chef normand Rollon, aujourd'hui enterré dans la cathédrale de Rouen, cette riche province qui,

[5] **Maupassant** Guy de Maupassant, 1850–1893, est une des grandes figures de l'école naturaliste, qui aspire à un réalisme extrême. Il est célèbre surtout pour ses contes.

depuis ce temps, s'appelle la Normandie. En échange, Rollon promet de se considérer comme vassal du roi de France.

Les pirates se transformaient alors en chevaliers et en seigneurs féodaux. En 1066, ils partent à la conquête de l'Angleterre. A ce moment, ils avaient déjà abandonné leur dialecte 5 germanique, et avaient adopté la langue française et la civilisation française, supérieure à la leur. C'est de l'union de la langue française, apportée en Angleterre par les conquérants normands, et des dialectes anglo-saxons, parlés dans l'île, que résulte la langue anglaise telle que nous la parlons aujourd'hui. 10 La Normandie restait unie à l'Angleterre jusqu'en 1204, quand Philippe Auguste, roi de France, la réunit de nouveau au domaine royal.

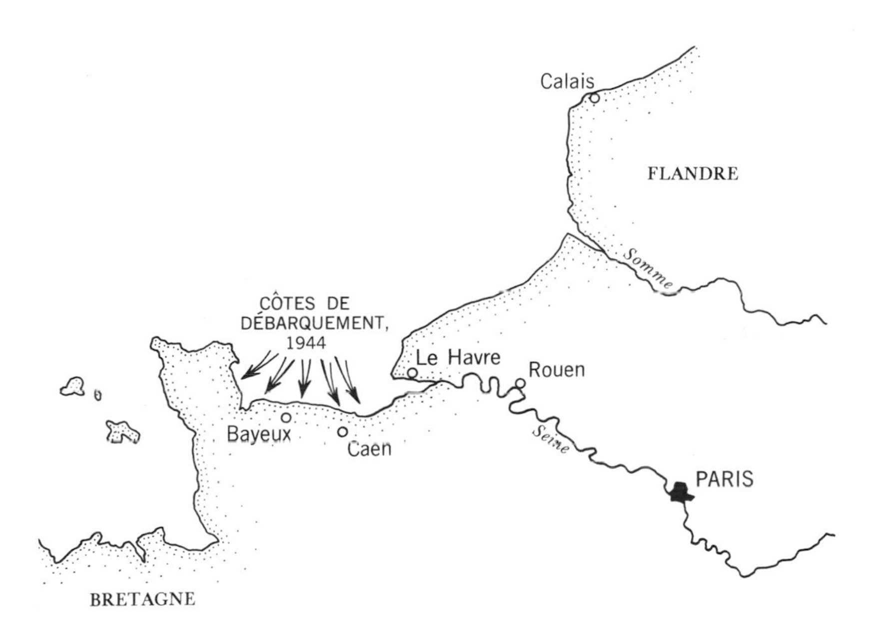

La Bretagne

8

Dans l'ouest du pays, la plus grande et la plus pittoresque des provinces françaises se projette avec ses côtes rocheuses loin dans l'Atlantique.

«Il faut voir . . . quelles monstrueuses vagues la mer entasse à la pointe de Saint Mathieu, à cinquante, à soixante, à quatre- 5 vingts pieds; l'écume vole jusqu'à l'église, où les mères et les sœurs sont en prières,» dit Michelet,[1] historien du 19e siècle. Il parle des femmes qui prient pour la vie de leurs fils et de leurs frères, pêcheurs hardis partis pour la lointaine Terre-Neuve ou même pour les côtes d'Afrique. Cette lutte constante 10 du pêcheur breton contre les dangers de la mer a souvent inspiré les poètes du passé. Quand on voit dans le Finistère[2]—*finis terrae,* ce qui veut dire *fin de la terre*—ou à la Pointe du Raz les écueils et l'écume qui couvrent la mer à perte de vue, on comprend l'humble prière du pêcheur breton: «Secourez- 15 moi, grand Dieu, à la Pointe du Raz. Mon vaisseau est si petit et la mer est si grande.»

Cette lutte n'est plus qu'une légende aujourd'hui. Le progrès moderne a envahi la péninsule bretonne qui n'est plus le

[1] **Michelet** Jules Michelet, 1798–1874, auteur d'une *Histoire de France* et d'une *Histoire de la Révolution,* se distingue par son style vivant, presque poétique.
[2] **Finistère** Département dans l'extrême ouest de la Bretagne.

pays pauvre qu'elle était encore il y a peu de temps. Les pêcheurs ont remplacé leurs embarcations fragiles par de solides thoniers modernes. Aux deux ressources économiques de la province, la pêche et l'exportation de ses délicieuses primeurs, 5 est venue s'ajouter une troisième, le tourisme. Les traces d'un passé riche en traditions curieuses restent pourtant visibles partout et font le charme principal de la visite du touriste.

La Bretagne, réunie à la couronne de France seulement au 16e siècle, vivait pendant longtemps dans un certain isolement 10 dû à sa situation géographique. C'est pourquoi les coutumes et les traditions d'autrefois se sont maintenues dans cette province avec plus de ténacité qu'ailleurs. Michelet accusait les habitants de la péninsule d'être d'une «obstination insulaire», et on dit encore aujourd'hui «têtu comme un Breton». Cet esprit d'indé-15 pendance du Breton a souvent créé des difficultés politiques, et se reflète dans l'histoire de la province. Celle-ci était encore à demi païenne quand, au 6e siècle, des populations celtiques d'Angleterre, essayant d'échapper aux invasions des Angles et des Saxons, traversaient la mer pour se réfugier de l'autre côté 20 de la Manche. Ces immigrés celtiques, appelés Bretons, ont donné son nom à la Bretagne, la petite Bretagne, séparée par la mer de la Grande Bretagne. Pendant longtemps la Bretagne était un royaume celtique indépendant, gouverné par des prêtres païens appelés druides. On y parle encore aujourd'hui, 25 en plus du français, que les enfants apprennent à l'école, des dialectes celtiques proches de la langue du pays de Galles.

La Bretagne est le pays des légendes, et elle l'était déjà au Moyen Âge, quand l'héritage celtique jouait un rôle très important dans la littérature européenne. Certains romans en vers 30 du 12e et 13e siècles, comme ceux de Chrétien de Troyes,[3] sont, en effet, inspirés de légendes celtiques, comme les aventures du roi Arthur et des chevaliers de la Table Ronde. La forêt même

[3] **Chrétien de Troyes** Poète du 12e siècle.

Lá Pointe du Raz se projette loin dans l'Atlantique. (French Cultural Services, New York)

Les jolies Bretonnes portent encore des corselets de velours, des tabliers brodés, et des coiffes en dentelle blanche. (French Government Tourist Office, Beverly Hills)

où se situent ces aventures et celles du magicien Merlin et de la fée Viviane se trouve en Bretagne.

Les paysages mystérieux de la province favorisent évidemment l'éclosion de légendes. On le comprend tout de suite en visitant la baie des Trépassés, dont les eaux recouvrent la ville d'Ys, cité légendaire engloutie par la mer. On le comprend en contemplant les trois cent soixante-cinq îles du golfe de Morbihan, ou le rocher sauvage perdu dans la mer qui forme le point extrême de la France et de l'Europe, l'île d'Ouessant. Dans l'unique village de cette île, ce sont les femmes qui cultivent les champs, tandis que les hommes, de retour de la pêche, font les travaux du ménage. Cette coutume symbolise l'existence précaire de la femme sur une île où l'on célèbre tous les ans des funérailles symboliques pour les marins perdus en mer. On trouve une atmosphère semblable dans l'île de Sein, où les femmes portent le deuil trois cent soixante-cinq jours par an, et où tous les hommes sans exception sont pêcheurs. Même le gouvernement, dont les motifs d'action ne sont pourtant point sentimentaux, reconnaît comme la vie de ces pêcheurs est dure, et les exempte de tout payement d'impôts.

La Bretagne est une des rares régions d'Europe où, au moins à certaines occasions, on porte encore les anciens costumes régionaux. Le dimanche matin, les jolies Bretonnes mettent leur jupe noire, leur corselet de velours, leur tablier brodé et, surtout, leur coiffe en dentelle blanche, de forme différente dans chaque village. Dans certaines régions on célèbre à une date fixe des pèlerinages appelés pardons tels que le pardon de Terre-Neuve, lors du départ de la flotte de pêche, le curieux pardon des Animaux, pour la bénédiction des troupeaux de moutons, ou le célèbre pardon de Sainte Anne. Au cours de cette procession, des centaines de petits bateaux, décorés de fleurs, s'assemblent au large de la côte autour d'un canot transportant un prêtre, qui chante une prière et jette sur les vagues une couronne de fleurs pour les marins perdus en mer.

La mer a toujours été la vocation du Breton et elle l'est encore aujourd'hui puisqu'une grande partie des équipages de la marine française sont d'origine bretonne. C'est des ports bretons—surtout de Saint-Malo, perché sur des rochers inaccessibles avec ses remparts médiévaux—que sont parties, au 16e siècle, les caravelles de Jacques Cartier et des autres explorateurs français qui ont donné au roi de France son empire colonial en Terre-Neuve et au Canada. C'est à Auray, en Bretagne, que Benjamin Franklin a débarqué, en 1776, pour négocier une alliance entre la France et les jeunes États-Unis. C'est dans le même port que Paul Jones, à bord du *Ranger,* a hissé, en 1778, le nouveau drapeau des États-Unis, salué par un détachement de la flotte française. C'est à Brest, aujourd'hui grande base navale, que Lafayette a débarqué en 1779, de retour de l'armée de Washington. C'est de Brest aussi que le corps expéditionnaire français est parti, en 1780, pour apporter l'aide de la France aux révolutionnaires d'Amérique.

Pour conclure, mentionnons les prestigieux monuments mégalithiques et les calvaires de Bretagne. Ces assemblages d'énormes blocs de granit, dont le plus connu se trouve à Carnac, ressemblent à celui de Stonehenge, en Angleterre. Ces blocs verticaux, appelés menhirs, dont certains pèsent plusieurs centaines de tonnes, forment à Carnac douze lignes droites d'un kilomètre de long qui aboutissent à un cercle énorme de soixante-dix menhirs. A Kermario, les constructeurs ont érigé neuf cent quatre-vingt-neuf menhirs en un seul endroit. Ce sont des sites où les Celtes pratiquaient leurs cérémonies religieuses du culte druidique.

Si ces monuments nous rapellent la préhistoire celtique, les nombreux calvaires—c'est-à-dire croix de pierre—sont un vestige du Moyen Âge chrétien. Il y en a un peu partout en Bretagne, aux carrefours, dans les cimetières, à l'entrée d'un village, à la limite de deux propriétés. Il y en a qui marquent un chemin qui mène à un château ou à une chapelle; d'autres commémorent un accident, un assassinat, une victoire; d'autres, enfin, remercient Dieu d'une guérison miraculeuse, de la fin d'une

Le calvaire de Plougastel est un véritable musée en plein air. (French Government Tourist Office, Beverly Hills)

épidémie de peste; ou ils voulaient simplement rappeler aux païens bretons d'un siècle passé que le Dieu chrétien avait pris la place de leurs idoles druidiques. Ainsi, il y a des calvaires qui ne sont que des menhirs christianisés—c'est-à-dire des blocs de granit, d'anciens monuments païens, surmontés d'une croix. D'autres sont de véritables musées en plein air qui, par une profusion vertigineuse de statues et de statuettes, figurent des scènes de l'histoire sainte. Le calvaire de Plougastel, par exemple, comprend non moins de cent soixante personnages différents, chacun un chef-d'œuvre de sculpture et l'ensemble une merveille artistique.

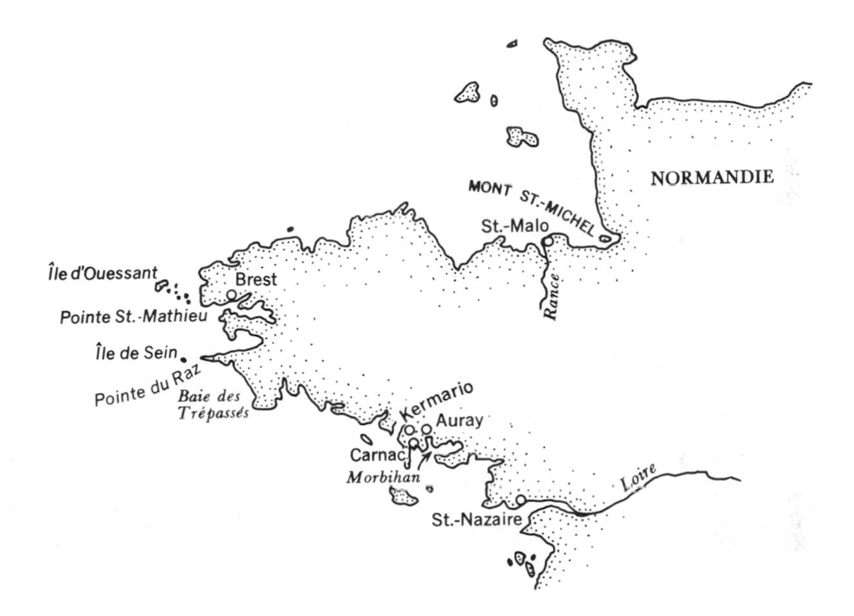

Le château de Chinon domine la ville par laquelle passa Jeanne d'Arc. (French Government Tourist Office, Beverly Hills)

La Touraine

9

La Touraine est la plus française de toutes les provinces. C'est là que la vieille France vit encore; c'est là qu'on parle la langue la plus pure. Ce «jardin de la France», comme l'appelait le poète La Fontaine,[1] étend ses paysages calmes et fertiles en aval d'Orléans le long de la Loire. Ces riches prairies, ces fleuves, ces collines couvertes de vignes, ces vergers, ces vallées heureuses au climat doux et humide, et ces routes bordées de peupliers ressemblent, en effet, à un énorme parc et respirent la douceur de vivre.

Orléans, à cent kilomètres au sud de Paris et séparé de la capitale par une des plus belles forêts de France, n'est aujourd'hui qu'une ville industrielle sans grand intérêt. Elle servait d'entrepôt de marchandises à la capitale au temps où la Loire, longue de mille kilomètres, était la voie de communication la plus importante du pays. Ce commerce a cessé avec la Révolution en 1789, et avec l'invention du bateau à vapeur, mal adapté aux caprices du fleuve. Désertée des marchands, la vallée de la Loire s'est alors endormie, et c'est à cause de ce sommeil enchanté qu'elle a gardé son charme d'autrefois. Puis, c'était le

[1] **La Fontaine** Jean de La Fontaine, 1621–1695, est l'auteur de *Fables* en vers qui sont de petits chefs-d'œuvre.

réveil de la Belle au Bois Dormant[2] avec la construction de chemins de fer et de routes. Aujourd'hui, la Touraine est une des grandes régions touristiques de France. Elle est pourtant en même temps plus que cela.

5 Au cœur de cette région se trouve Tours, centre de la résistance celtique contre les Romains, puis cité romaine et, au Moyen Âge, lieu de pèlerinage renommé à cause du tombeau de Saint Martin, patron de la France, qui s'y trouvait. Charlemagne y établira la première école de philosophie en Europe 10 médiévale. Pendant la Renaissance, lorsque les rois de France résidaient dans les châteaux de la région, Tours, qui avait le monopole du commerce de la soie, devient riche et prospère. Puis, avec le retour des rois à Paris, c'est la décadence de la ville. Les guerres de religion et l'émigration des industriels protes- 15 tants après la révocation de l'Édit de Nantes[3] par Louis XIV, qui met fin à la liberté de religion, achèvent la ruine de Tours. Le monde s'en souviendra encore en 1870, lorsque le gouvernement français quittera Paris, occupé par les Prussiens,[4] pour se réfugier en Touraine, et pendant la guerre de 1914, lorsque 20 Tours sera le quartier général des armées américaines en France, mais la ville appartient dès lors aux touristes.

En été, tous les soirs, ils s'assemblent devant l'ombre gigantesque de la cathédrale gothique pour assister à un des spec-

[2] **Belle au Bois Dormant** Titre français du conte connu en anglais sous le titre de *The Sleeping Beauty*. Ensemble avec d'autres contes familiers aux enfants, du monde entier, il fait partie des *Contes de ma Mère l'Oye* de Charles Perrault, auteur du 17e siècle. D'autres contes du même auteur sont *Le Petit Chaperon Rouge, Barbe-Bleue, Le Chat Botté, Cendrillon* et *Le Petit Poucet.*

[3] **Édit de Nantes** En 1598, le roi Henri IV mit fin aux guerres de religion entre les protestants et les catholiques en proclamant pour la première fois la tolérance. La proclamation s'appelle l'Édit de Nantes. Cet édit a été révoqué par Louis XIV en 1685.

Prussiens En 1870, la France, gouvernée alors par Napoléon III, déclara la guerre à la Prusse, le plus grand des états qui composeront l'empire allemand. La guerre se termina par une victoire allemande. Elle eut pour résultat l'abdication de Napoléon III et la perte de l'Alsace et de la Lorraine.

tacles *Son et Lumière,* dont la France offre deux mille pour mettre en relief la beauté de ses trésors d'art et d'architecture. Et tout d'un coup, la merveille jaillit de la nuit noire, illuminée par les faisceaux blancs de mille projecteurs, éblouissante dans sa beauté, tandis que des haut-parleurs racontent l'histoire de la ville et de sa cathédrale, qui est l'histoire de mille autres villes françaises. L'histoire revit alors une fois de plus. On entend les chants des Gaulois qui s'assemblent pour résister à Jules César, les madrigaux qui enchantaient la cour de François Ier,[5] la mélodie entraînante de *La Madelon,* que chantaient les poilus de la guerre de 1914.

Dans une province imbue de traditions historiques, comme l'est la Touraine, on ne s'étonne pas de rencontrer des modes de vie peu ordinaires. En se promenant dans les champs et les vignobles, on sent parfois une odeur de soupe à l'oignon et on aperçoit un peu de fumée entre les vignes. En s'approchant, on voit alors une cheminée à ses pieds. Les plateaux de craie de Touraine sont, en effet, creusés de cavernes, qui servent de champignonnières, de caves à vin, et même de demeures. Des paysans y mènent une existence curieuse, mais fort agréable, au frais en été, à l'abri du froid en hiver. Le confort moderne n'y manque pas car il y a l'électricité et assez d'espace sous ces voûtes, que parfume le bouquet des célèbres vins blancs de Vouvray, pour garer une auto ou un camion. Parfois, les pompiers ou la fanfare du village voisin y tiennent leurs réunions. Mais ce sont les cheminées dans les champs qui ont inspiré au poète Théophile Gautier[6] l'observation amusante que «les lapins doivent tomber d'eux-mêmes dans les casseroles».

[5] **François Ier** Roi de France à l'époque de la Renaissance.

[6] **Théophile Gautier** Ce poète, 1811–1872, appartenait d'abord à l'école romantique, dont le chef était Victor Hugo. Plus tard, il forme avec d'autres écrivains une école littéraire qui aspire à l'harmonie de la forme poétique, et dont les membres s'appellent Parnassiens.

Les poètes et les artistes ont toujours aimé cette vallée riante. L'humaniste Rabelais,[7] le philosophe Descartes,[8] le romancier Balzac,[9] les poètes Alfred de Vigny[10] et Charles Péguy[11] y sont nés. Ce dernier vante la beauté des cent vingt châteaux de la
5 Loire «dans la majesté des matins et des soirs». Celui qu'il préférait à tous les autres était le château de Chinon, car c'est là que Jeanne d'Arc s'agenouilla devant le roi Charles VII pour lui dire que sa mission était de libérer la France des Anglais «à cause de la grande pitié qu'il y avait en France».

10 Le château de Chinon est le type même de la forteresse féodale comme il y en a tant en Touraine. Du sommet de sa colline il domine la rivière et la petite ville de Chinon avec ses maisons médiévales. On y voit encore la rue étroite par laquelle passa Jeanne d'Arc, accompagnée de six hommes
15 d'armes. Au numéro 44 de la petite place se trouve la maison où mourut Richard Cœur-de-Lion; un peu plus loin est la

[7] **Rabelais** François Rabelais, 1494–1553, humaniste et écrivain, né près de Chinon. Il est l'auteur de *La Vie de Gargantua et de Pantagruel*—pour abréger un titre très long. C'est une œuvre pleine d'imagination et de verve, d'un humour incomparable. Rabelais est le représentant typique de la Renaissance française, et il traite dans son œuvre de toutes les questions littéraires, philosophiques, religieuses, sociales et politiques de son temps.

[8] **Descartes** René Descartes, 1596–1650, philosophe et mathématicien. C'est le créateur de la géométrie analytique, et l'un des pionniers de l'optique. En philosophie, il combat la scolastique du Moyen Âge et devient le fondateur de la philosophie rationaliste et de la méthode scientifique moderne.

[9] **Balzac** Honoré de Balzac, 1799–1850, donne dans les quatre-vingt-dix romans qui composent sa *Comédie Humaine* une image vivante et réaliste de la société de son temps.

[10] **Alfred de Vigny** Poète de l'école romantique, 1797–1863.

[11] **Charles Péguy** Péguy, 1873–1914, poète et fondateur de la revue littéraire *Cahiers de la Quinzaine,* contribuait à la renaissance de la pensée et de la littérature catholiques en France. Son mysticisme très personnel et son socialisme chrétien ont exercé une influence très forte sur la littérature française contemporaine.

Le château féodal de Langeais jaillit de la nuit noire pendant un spectacle *Son et Lumière*. (French Government Tourist Office, San Francisco—Karquel)

fontaine où but Jeanne. Le château est aujourd'hui en ruines, mais comme par miracle la grande cheminée reste intacte, suspendue dans le vide, cette cheminée devant laquelle Jeanne reconnut le roi, déguisé et caché parmi trois cents gen-
5 tilshommes.

Les châteaux féodaux avec leurs murailles puissantes, leurs donjons massifs et leurs fossés, leur aspect sombre et menaçant, tels que Chinon ou Loches, nous rappellent le temps des luttes du Moyen Âge et de la guerre de Cent Ans. Puis, viennent les
10 guerres d'Italie, d'où les rois de France reviennent émerveillés par les splendeurs de Florence, de Milan, de Venise. Et, sur les bords de la Loire naît au 16e siècle, sous l'influence italienne, une civilisation nouvelle, la Renaissance française.

Les forteresses médiévales perdent alors leur aspect militaire,
15 leurs murailles et leurs tours. Elles descendent des collines vers le bord des rivières, et des artistes italiens les adornent d'ornements élégants. Les donjons se transforment en tourelles gracieuses qui se reflètent dans la rivière; les fossés, les murailles, tout ce qui servait à la défense militaire, devient pur décor. Le
20 château d'Amboise surgit. C'est la transition du gothique à la Renaissance.

Ce qui nous frappe tout d'abord à Amboise, c'est la grande tour ronde où monte une rampe en hélice assez large pour donner passage à huit cavaliers avançant de front. Charles VIII
25 commença la construction de ce château en 1492. Au moment où Christophe Colomb révéla à l'Europe le nouveau monde découvert par lui, Charles VIII voulait révéler à la France la joie de vivre qu'il venait de découvrir en Italie. Il remplit le château de trésors rapportés de ce pays; de tapis, meubles,
30 tableaux, statues sans nombre. Il y amène une armée d'érudits et d'artistes italiens, des architectes, des peintres, des sculpteurs, des jardiniers. Léonard de Vinci, invité par le roi, y passe ses dernières années et y est enterré. A Amboise se déroulent les premières grandes fêtes de la Renaissance: tournois, bals somp-
35 tueux, mascarades, combats de bêtes sauvages.

(En haut) Chambord est le triomphe de la Renaissance. Sa terrasse est une forêt de tours et de tourelles groupées autour de la magnifique lanterne centrale. (French Government Tourist Office, Beverly Hills)

(En bas) Son et Lumière à Chenonceaux, joyau en pierre qui enjambe les eaux noires du Cher. (French Government Tourist Office, San Francisco)

Après Amboise, on construit Blois, où l'influence italienne s'étale dans toute son exubérance. Finalement, c'est le triomphe de la Renaissance dans cette incomparable résidence royale qu'est Chambord, le château de François Ier. Son parc de cinq
5 mille hectares[12] est entouré d'un mur long de trente-deux kilomètres—le mur le plus long de France. Le château présente une façade harmonieuse flanquée de deux tours aux proportions élégantes; à l'intérieur, un ensemble de quatorze grands escaliers et de soixante petits, dont le célèbre escalier central. Il est
10 formé par deux hélices superposés, montant et descendant en directions inverses, qui ne se rencontrent jamais. Par cet escalier, on monte vers la terrasse du château, qui se révèle comme une véritable forêt de tours et tourelles, de beffrois et de clochetons, de trois cent soixante-cinq cheminées—une pour chaque
15 jour de l'année—de huit cents chapiteaux, de flèches, de lucarnes, le tout groupé autour de la merveilleuse lanterne centrale de trente-deux mètres. C'est de cette terrasse que la cour suivait les chasses et les tournois; c'est dans le parc que se déroulaient les grandes fêtes; c'est dans ce château que les
20 acteurs de Molière[13] représentèrent pour la première fois son *Bourgeois Gentilhomme.*

Le plus élégant et le plus original des châteaux de la Renaissance est Chenonceaux, invraisemblable joyau en pierre qui enjambe les eaux noires et tranquilles du Cher; caprice
25 d'Henri II, qui l'offrit comme cadeau à Diane de Poitiers, la dame qu'il admirait, qui avait vingt ans de plus que lui, et dont on disait qu'à soixante-dix ans elle était aussi belle qu'à trente.

12 **Hectares** Un hectare égale environ deux acres et demie.

13 **Molière** Jean-Baptiste Poquelin, 1622–1673, connu sous son nom de plume de Molière, était acteur et l'auteur de beaucoup de comédies qui enchantaient Paris et la cour au 17e siècle. Les plus connues de ces comédies sont *Les Précieuses Ridicules, Dom Juan, Le Misanthrope, Le Médecin malgré Lui, L'Avare, Le Tartuffe, Le Bourgeois Gentilhomme, George Dandin, Les Fourberies de Scapin* et *Le Malade Imaginaire.*

Les buis taillés de Villandry annoncent déjà les jardins de Versailles. (French Government Tourist Office, Beverly Hills)

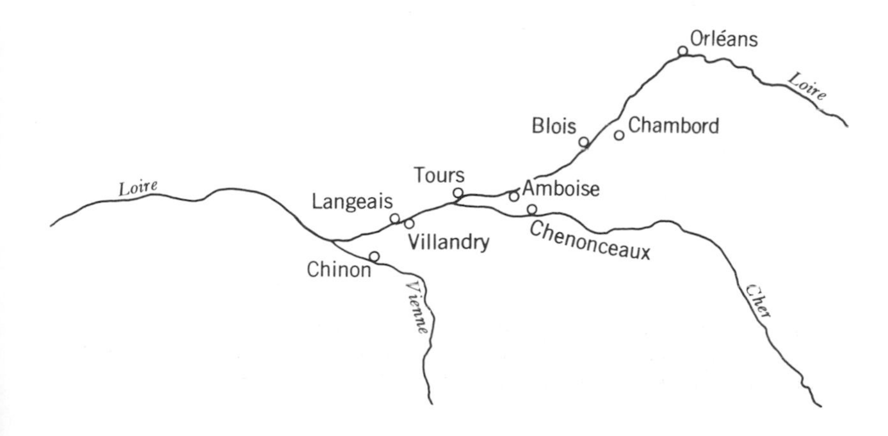

Le jardin à la française, qui triomphera un siècle plus tard à Versailles[14] avec l'architecte Le Nôtre, s'annonce déjà dans les jardins du château de Villandry. Sur trois terrasses entourées de balustrades et situées à des niveaux différents, l'architecte a
5 aménagé un jardin d'eau aux fontaines et canaux, un jardin d'ornement aux buis taillés et aux parterres de forme géométrique, et un jardin potager fort curieux où les différents légumes forment un échiquier. Ses couleurs changent avec les saisons de l'année.

10 Ainsi, tout parle du temps qui passe dans cette vallée où tout s'est passé; où l'homme néolithique trouvait le silex pour ses armes et ses outils; où Clovis, premier roi de France, négociait avec Alaric, chef des Visigoths; où a été fondée la dynastie anglaise des Plantagenet; où Marie Stuart, reine de France,
15 s'amusait un soir après dîner à aller voir, au bras de son jeune mari, les cadavres de quelques gentilshommes protestants pendus au grand balcon du château d'Amboise.

Tout s'est passé aux bords de cette Loire qui est au cœur de la France et de son histoire. Tout passe, bourreaux et vic-
20 times. Les pierres restent comme témoins.

[14] **Versailles** Le château de Versailles était sous Louis XIV le cœur de la France et, en quelque sorte, du monde. Il a été construit par plusieurs architectes, dont les plus connus sont Le Vau et Mansard. Le Nôtre a créé les jardins.

Le Midi

10

Le Midi forme à tous points de vue une région à part. Bien que partie intégrante du territoire national, il a une personnalité bien à lui. D'où lui vient ce caractère distinctif?

C'est tout d'abord une question de climat et de végétation. Le voyageur qui, cinq heures plus tôt, a pris à Paris le «mistral», train rapide qui fait le voyage de la capitale à la Côte d'Azur en un temps record, est un peu désappointé en arrivant à Lyon. Ce grand foyer industriel de la vallée du Rhône est en effet encore une ville du nord. Mais le train repart, et dix minutes plus tard, c'est le Midi. On voit apparaître des collines rocheuses, de l'herbe desséchée par le soleil, des oliviers et des peupliers, de plus en plus rares, dont le vert sombre se détache d'un ciel toujours bleu. On respire le parfum des plantes aromatiques, des vastes champs de lavande qui embaument l'air sec. On voit des troupeaux de moutons et de chèvres, qui sont pour le Midi ce que la vache est pour la Normandie. En hiver, on sent la dictature brutale du mistral, de ce vent froid et violent qui descend des Alpes. Derrière une haie de cyprès qui le protège de ce vent, on découvre un *mas*[1] isolé aux murs blancs, au toit rouge, avec ses champs de lé-

[1] **Mas** Mot provençal qui veut dire *ferme*.

Arles est, en somme, une ville romaine. (French Government Tourist Office, Beverly Hills)

Tous les étés, on donne dans le théâtre romain d'Orange des représentations théâtrales devant ce vieux mur—«le plus beau mur de mon royaume,» disait Louis XIV. (French Government Tourist Office, San Francisco)

(En haut) Carcassonne est une vision de la vie féodale en plein vingtième siècle. (French Government Tourist Office, New York)

(En bas) Une route pour automobiles passe sur le Pont du Gard, aqueduc romain construit il y a deux mille ans. (French Government Tourist Office, Beverly Hills)

gumes, ses arbres fruitiers, ses pastèques, ses fleurs, ses bâtiments somnolents aménagés autour d'un puits.

En deuxième lieu, c'est une question de psychologie. On dit que l'habitant du Midi, le Méridional, ressemble au mistral impétueux et tonitruant. Il aime, en effet, parler haut et parler beaucoup; il aime jouir de la vie; il a beaucoup d'imagination et apprécie la beauté, les sons et les couleurs; il comprend bien les poètes et les artistes, et méprise un peu les gens du nord, ces ingénieurs et ces hommes d'affaires, qu'il accuse de froideur. Les gens du nord prennent leur revanche en l'accusant de toutes sortes d'exagérations, d'être trop fier, de se vanter sans cesse, de ne pas faire une distinction bien nette entre la vérité et le mensonge poétique. La joie de vivre du Méridional trouve son expression dans les danses et les chants du Midi, car le Midi, c'est un peu l'Italie ou l'Espagne. Les joies simples de la vie semblent si importantes au Méridional qu'il passe des heures à préparer son cassoulet classique—plat compliqué qui contient du mouton, de l'oie, du porc, du lard, des tomates et des haricots blancs, le tout arrosé de vin et de cognac, assaisonné aux herbes aromatiques et cuit pendant trois jours.

L'unité évidente du Midi découle en partie de la langue provençale, qui n'est plus qu'un dialecte aujourd'hui, mais qui était au Moyen Âge, au temps des troubadours, une des grandes langues littéraires de l'Europe.

Notons enfin l'unité historique du Midi, région tout imprégnée d'histoire. «Tout ce Midi si beau, c'est néanmoins, comparé au Nord, un pays de ruines,» a dit l'historien Michelet. Et ailleurs: «La Provence . . . a hébergé tous les peuples. Tous ont chanté les chants, dansé les danses d'Avignon.» Et il parle du Languedoc en ces termes: «C'est une bien vieille terre que ce Languedoc. Vous y trouvez partout les ruines sous les ruines.»

Ce coin de France entre la frontière italienne et le Rhône que les Romains appelaient *provincia gallica,* ou province gauloise, est aujourd'hui la Provence, et c'est, après l'Italie, le coin d'Europe le plus riche en vestiges de l'antiquité romaine. On en trouve un peu partout, des colonnes brisées au milieu d'un pâturage jusqu'aux merveilles d'Arles, que l'écrivain Châteaubriand[2] appelait «un véritable musée en plein air». Dans cette petite ville somnolente il y a un amphithéâtre merveilleusement conservé, un théâtre hémisphérique, des thermes, un cimetière romain appelé les Alyscamps, qui était au Moyen Âge le lieu de sépulture le plus renommé d'Europe—en somme, toute une ville romaine. Rome est partout, car à Nîmes il y a au milieu de la ville moderne ce temple gracieux qu'on appelle la Maison Carrée; à Orange, un théâtre si bien conservé qu'on y donne tous les étés des représentations théâtrales; et, non loin de là, le Pont du Gard, aqueduc prestigieux construit un peu avant la naissance de Jésus-Christ, et construit si solidement qu'une route pour automobiles passe aujourd'hui sur ce pont.

Quant au Moyen Âge, il a laissé en Provence d'innombrables monuments de style roman, comme l'église et le cloître Saint Trophime à Arles, mais point de constructions gothiques comme dans le reste de l'Europe. Le Languedoc, qui s'étend du Rhône à la Garonne et qui forme avec la Provence le cœur du Midi, c'est le Moyen Âge tel que le représentent les contes de fées. Au milieu des vignobles s'élève sur sa colline Carcassonne, ville entourée de remparts. C'est une vision de la vie féodale en plein 20e siècle. Le 14 juillet, il faut admirer de loin la silhouette héroïque de cette ville fortifiée, qui se détache alors, avec ses cinquante-deux tours, d'un ciel embrasé par le feu d'artifice de la fête nationale. Et il faut voir dans la plaine mélancolique, au milieu des marais, les remparts gigantesques

2 **Châteaubriand** François-René de Châteaubriand, 1768–1848, écrivain et homme d'état, a joué un rôle important comme précurseur du romantisme.

(En haut) Au milieu des marais s'élèvent les remparts gigantesques d'Aigues-Mortes, prisonnière des sables. (French Cultural Services, New York)

(En bas) Le Palais des Papes à Avignon est la plus vaste construction militaire du Moyen Âge. (French Government Tourist Office, Beverly Hills)

d'Aigues-Mortes, construit au 13e siècle par Saint Louis,[3] roi de France. C'était alors un port de mer d'où s'embarquaient les chevaliers quand ils partaient en croisade. Aujourd'hui, c'est une ville morte située loin de la côte, prisonnière des sables qui
5 la séparent de la mer et qui l'étouffent peu à peu. A Avignon, qui était au 14e siècle la résidence des papes, forcés par le roi de France à s'établir aux confins de son territoire, se trouve le Palais des Papes, la plus vaste construction militaire du Moyen Âge.

10 Pour comprendre le Midi, il faut se pencher sur son histoire. La Provence, si loin de Paris, échappait au Moyen Âge au pouvoir des rois de France et restait divisée en mille fiefs; le Languedoc était alors le domaine des comtes de Toulouse. Ce Languedoc était le centre d'une brillante et luxueuse civilisa-
15 tion féodale dont l'ambiance est conservée dans la poésie des troubadours. C'était en même temps un foyer d'hérésie dont les cathédrales, comme celle d'Albi, ressemblent à des forteresses. Au 12e siècle, le Pape ordonne, et le roi de France organise, une croisade contre cette secte d'Albi, les Albigeois. Simon
20 de Montfort conduit la campagne avec une telle cruauté et cause de telles dévastations que le Languedoc ne se remettra jamais de ces destructions. En 1271, il sera réuni à la couronne de France. La destruction de cette civilisation reste un des épisodes les plus cruels dans l'histoire de l'humanité. Quant à
25 la Provence, elle reste indépendante jusqu' à la fin du 15e siècle, quand son dernier comte cèdera ses droits paisiblement au roi de France.

Cette variété d'associations historiques fait le charme d'une visite au Midi. Sous les platanes d'Aix-en-Provence, on suit
30 la discussion animée des joueurs de boules en bras de chemise qui, entre deux parties, prennent un coup de bière et font la

[3] **Saint Louis** Louis IX était roi de France de 1226 à 1270. Il participa à deux croisades. L'église catholique le considère comme un de ses saints à cause de sa vertu morale et de son sens de la justice.

(En haut) **Alphonse Daudet dit qu'il a écrit ses *Lettres* dans un moulin, et le propriétaire du moulin que voici dit que c'est le sien.** (French Government Tourist Office, San Francisco—Feher)

(En bas) À Nice, devant les hôtels de luxe, style 1900, la Promenade des Anglais avec ses palmiers longe la mer bleue. (French Government Tourist Office, New York)

critique du jeu. Dans la Camargue chaude et plate, on admire les gardians des taureaux demi-sauvages sur leurs petits chevaux. Dans la région d'Arles, on va rendre visite à un cyprès peint par Van Gogh,[4] au Mont Saint-Victoire, cher au peintre 5 Cézanne,[5] ou au moulin où Alphonse Daudet[6] a écrit ses *Lettres de Mon Moulin*. A Marseille, on jouit de l'ambiance méditerranéenne de la Canebière, avenue principale de la ville, dont le Marseillais est si fier qu'il dit avec l'exagération à laquelle on s'attend de sa part: «Si Paris avait une Canebière, 10 ce serait un petit Marseille.» A Saint-Gilles, on visite une des églises romanes les plus anciennes du continent, et à Toulon, un de ses chantiers navals les plus modernes. A Nice, enfin, sous les palmiers de la Côte d'Azur, sur la Promenade des Anglais, qui longe la mer bleue, devant les hôtels de luxe, 15 style 1900, ou à Saint-Tropez avec ses starlettes et ses jaguars, on s'émerveille de voir tant de gens dépenser tant d'argent pour prendre le soleil dans le nuage d'odeur d'essence qui flotte toujours sur ce paradis des touristes.

[4] **Van Gogh** Vincent Van Gogh, 1853–1890, était un peintre hollandais qui a exercé une influence profonde sur la peinture moderne. Il habitait Arles de 1888 à 1890 et y a créé la plupart de ses chefs-d'œuvre pendant ces années.

[5] **Cézanne** Paul Cézanne, 1839–1906, est né à Aix-en-Provence. C'est un peintre qui travaillait d'abord avec les impressionistes, mais qui a créé plus tard un style nouveau, précurseur du cubisme. Ce style nouveau se montre dans ses nombreux tableaux du Mont Saint-Victoire, qui était un de ses sujets favoris.

[6] **Daudet** Alphonse Daudet, 1840–1897, né à Nîmes, donne, dans ses romans et dans ses contes, des descriptions brillantes de la Provence et de ses habitants. Ses *Lettres de mon Moulin* sont des contes publiés à l'origine sous ce titre par un journal parisien. Le titre fait allusion au vieux moulin dans lequel l'auteur dit avoir écrit ces contes.

Paris

11

Au touriste pressé le Français dit volontiers que Paris n'est pas la France, mais qu'il faut voir aussi les provinces. Il a raison, mais il n'en est pas moins vrai qu'il faut connaître Paris, car qui n'a pas vu Paris, n'a pas vu la France, ni même l'Europe. Paris est plus que la capitale d'un pays; c'est la capitale de tout un continent, voire d'une civilisation.

Avec sa banlieue, Paris est une des grandes agglomérations urbaines du monde et, à cause de son extension relativement faible, c'est la plus dense de toutes. C'est une ville qui grouille de monde, d'autos, d'autobus, de chats, de vendeurs de journaux, de marchandes de fleurs, de touristes américains, de voitures d'enfant, d'étudiants japonais,—que sais-je? Il faut avoir vu un de ces embouteillages parisiens pour comprendre le désespoir des architectes qui cherchent à moderniser la ville sans détruire ses trésors d'architecture.

On croit qu'en 1970 Paris aura dix millions d'habitants. D'ores et déjà, un cinquième de la population française y demeure et y produit un quart du revenu national. C'est le centre administratif, économique, financier et intellectuel du pays. Sans New York ou Washington, les États-Unis ne seraient pas ce qu'ils sont, mais sans Paris la France ne serait rien du tout.

Les lignes ferroviaires et les grandes routes du pays entier convergent sur Paris. Ainsi, il est souvent plus commode et plus rapide de passer par Paris pour aller d'une ville de province à une autre, que de chercher un itinéraire direct qui évite la capitale.

Cette concentration monstrueuse de piétons, de véhicules, de magasins, de bureaux, de maisons et de fabriques menace d'étouffer la capitale. Les statistiques le prouvent. Paris a cent églises, cinquante-quatre théâtres, quatre mille cinq cents rues, cent mille maisons, soixante musées, trente-trois ponts sur la Seine, treize cimetières, quatre cent mille arbres dans soixante jardins publics et le long des rues. Paris a trente kilomètres de docks le long de la Seine. Il a quatre usines pour brûler huit

Il faut avoir vu un de ces embouteillages parisiens pour comprendre le désespoir des architectes qui cherchent à moderniser la ville. (French Cultural Services, San Francisco)

Le luthier travaille deux semaines à la perfection d'un instrument. (French Embassy Press and Information Division, New York—Yan)

cent mille tonnes d'ordures ménagères par jour, tout en chauffant en même temps des quartiers entiers. Il y a cent quatre-vingt-six kilomètres de lignes de métro sous les rues de cette fourmilière. Aux heures de presse, entre six heures et sept heures du soir, huit cents personnes par minute partent de la 5 seule gare Saint-Lazare vers les quartiers résidentiels de la ban-

(En haut) La Maison de la Radio avec son gratte-ciel présage l'architecture parisienne du 21e siècle. (French Government Tourist Office, Beverly Hills)

(En bas) Pour sentir le charme de Paris, il faut savoir regarder. (French Government Tourist Office, Beverly Hills)

lieue ouest; le métro et les autobus transportent deux milliards de personnes par an. La ville mange un million de kilos de pain et boit un million de litres de vin chaque jour.

Paris est tout un monde, car il y a le Paris des Usines Renault, qui produisent trois mille automobiles par jour, et celui des luthiers, qui, dans leurs petites boutiques derrière la gare Saint-Lazare, travaillent deux semaines à la perfection d'un instrument de musique. Il y a le Paris de l'aéroport d'Orly, et il y a celui des marchandes de quatre saisons, qui poussent leurs charrettes par les rues de la ville pour offrir leurs légumes et leurs fruits aux ménagères parisiennes. Il y a le Paris de la splendeur gothique de Notre-Dame, et celui du gratte-ciel de la Radiodiffusion Télévision Française, qui présage l'architecture du 21e siècle.

Ce monde qui s'appelle Paris est une ville très cosmopolite qui attire les artistes, les étudiants, les badauds, les savants et les aventuriers de toutes les nations, qui leur offre une source d'inspiration et un champ d'action, et qui les transforme en artistes, savants et badauds français. L'auteur Jean Cocteau[1] raconte comment, à la question d'un journaliste, il énumérait comme les plus grands génies français de notre époque Picasso,[2] Modigliani[3] et Stravinsky[4]—c'est-à-dire un Espagnol, un Italien et un Russe.

[1] **Cocteau** Jean Cocteau, 1889–1964, était un poète, écrivain et cinéaste de l'école surréaliste, qui cherche, à créer un monde imaginaire et irrationnel. Cocteau faisait souvent parler de lui par ses opinions paradoxales. C'était un personnage très parisien.

[2] **Picasso** Pablo Picasso, né en Espagne en 1881, a passé la plus grande partie de sa vie en France. Il a exercé une influence profonde sur la peinture contemporaine.

[3] **Modigliani** Amedeo Modigliani, 1884–1920, né en Italie, faisait partie de ce que les critiques d'art appellent l'école de Paris. Il est mort très jeune et presque inconnu.

[4] **Stravinsky** Igor Stravinsky, né en Russie en 1882, est un des grands innovateurs de la musique moderne. Il s'est établi aux États-Unis en 1940, mais la première représentation de la plupart de ses œuvres a eu lieu à Paris.

(En haut) Nous sommes sur la Rive Gauche devant le Palais Bourbon et nous voyons un des sites prestigieux de la capitale — le pont qui traverse la Seine; les fontaines et l'obélisque de la Concorde; la Rue Royale qui s'ouvre entre les deux édifices aux colonnades gracieuses, et qui mène vers l'église de la Madeleine; la colline de Montmartre avec la masse blanche du Sacré-Cœur. Le grand bâtiment à droite est l'Opéra, l'édifice blanc à gauche, l'ambassade des États-Unis. Les Champs-Élysées se trouvent à gauche, les Tuileries et le Louvre à droite. (French Government Tourist Office, Beverly Hills)

(A droite) L'Assemblée Nationale se réunit au Palais Bourbon, situé en face de la Place de la Concorde. (French Government Tourist Office, San Francisco)

On sait que les photographes, les cinéastes et les compositeurs de chansons populaires ont créé une légende de Paris et cherchent à profiter du prestige de la ville pour vendre leur marchandise. «Paris chante jour et nuit», dit Cocteau, «ses gosses, ses couples, ses frites, son vin, ses guingettes.» On pourrait allonger la liste et y ajouter la Tour Eiffel,[5] les peintres de Montmartre,[6] les boîtes de nuit de Saint-Germain-des-Prés,[7] les cafés des Champs-Élysées,[8] les étudiants du Quartier Latin,[9] l'animation des Grands Boulevards et mille autre clichés. Le charme de la ville est pourtant authentique. Pour le sentir, il faut savoir regarder; il faut savoir l'histoire; il faut savoir le français; il faut flâner par les rues, et il faut s'arrêter souvent.

Explorons ainsi l'un des sites prestigieux de Paris, la Place de la Concorde.

Nous voici au milieu de la place, où se dresse un monument curieux; c'est un obélisque égyptien, vieux de trente-trois siècles, haut de vingt-quatre mètres et couvert d'hiéroglyphes. Ce monolithe, érigé en 1833 sous le roi Louis-Philippe, était un cadeau du vice-roi d'Égypte à la France. Des deux côtés de l' obélisque, il y a deux fontaines magnifiques inspirées de celles de la Place Saint-Pierre à Rome. Et autour de cet obélisque et de ces fontaines s'étend la place octogonale, flanquée de huit

[5] **Tour Eiffel** L'ingénieur Gustave Eiffel a construit, pour l'exposition universelle de 1889, la tour qui porte son nom. Son but était de prouver la possibilité d'employer l'acier dans les grandes constructions.

[6] **Montmartre** Quartier pittoresque situé sur une colline qui domine Paris. C'était autrefois le quartier des artistes et de leurs modèles.

[7] **Saint-Germain-des-Prés** Quartier de Paris qui prend son nom de la très vieille église dans son centre. Depuis la guerre de 1939, les boîtes de nuit de Saint-Germain-des-Prés sont le rendez-vous de la société mondaine.

[8] **Champs-Élysées** Quartier élégant situé entre la Place de l'Étoile et la Place de la Concorde. Son avenue principale. l'Avenue des Champs-Élysées, a été aménagée au 17e siècle par Le Nôtre. C'est un quartier cosmopolite.

[9] **Quartier Latin** Quartier de l'Université de Paris, où se trouvent encore aujourd'hui la plupart des grands établissements d'enseignement, et où habitent beaucoup d'étudiants. Le nom du quartier rappelle le fait qu'au Moyen Âge les étudiants étrangers se servaient du latin comme langue commune.

statues qui représentent des villes de France: une place énorme, large de trois cents, longue de quatre cents mètres. Une véritable marée de véhicules, qui débouchent de tous côtés sur cet espace si vaste, traversent sans cesse, du matin au soir, cette
5 plaque tournante de la circulation parisienne.

Pendant la journée, c'est le cauchemar du piéton. Le soir, quand les gerbes de lumière inondent l'obélisque, les fontaines, les statues et les colonnades, c'est un spectacle féerique. Alors arrivent les revenants de l'histoire, car au 18ᵉ siècle cette place
10 s'appelait Place Royale, et à l'emplacement de l'obélisque il y avait une statue équestre de Louis XV, le Bien-Aimé—comme on l'appelait—entourée de statues représentant les vertus du roi, la Prudence, la Sagesse, le Courage. Mais le peuple de Paris avait inventé une petite chanson irrévérente: «Oh, la belle
15 statue! Oh, le beau piédestal! Les vertus sont à pied, le vice est à cheval.» Bientôt, pendant la Révolution,[10] ce monument a disparu pour faire place à la guillotine. La place s'appelait alors Place de la Révolution, et elle a vu mourir Louis XVI, Marie Antoinette, les chefs mêmes de cette révolution, Danton
20 et Robespierre, et treize cent trente-neuf autres victimes. Las de la Terreur, on a enfin donné à la place un nom qui promet beaucoup, Place de la Concorde. On a remplacé Louis le Bien-Aimé et la guillotine par un obélisque, qui ne risque pas de tomber victime aux changements trop fréquents des régimes
25 politiques.

[10] **Révolution** Louis XVI et sa femme, Marie Antoinette, princesse autrichienne, ont été guillotinés pendant la Révolution française. On appelle Terreur la période de 1793 à 1794, lorsque Danton et Robespierre faisaient exécuter de nombreuses victimes innocentes. C'est Robespierre qui a fait exécuter Danton. Finalement, il a été guillotiné lui-même.

La coupole élégante du Dôme des Invalides est un chef-d'œuvre de l'architecture classique du 17ᵉ siècle. (French Government Tourist Office, Beverly Hills)

L'empereur repose sous la coupole des Invalides. (French Government Tourist Office, Beverly Hills)

Les revenants disparaissent; levons les yeux vers le présent. Derrière la place, nous voyons deux grands édifices aux colonnades gracieuses, et entre les deux s'ouvre la Rue Royale, qui mène vers un temple grec imité du Parthénon d'Athènes. C'est 5 une construction curieuse, destinée successivement à servir de Bourse, de banque, de gare, et qui est maintenant l'église de la

Madeleine, où les jeunes filles des familles riches rêvent de célébrer leur mariage. C'est à la Madeleine que commence l'avenue circulaire des Grands Boulevards, bordés d'arbres, avec leurs terrasses de cafés, leurs hôtels, leurs magasins, leurs cinémas et leurs théâtres, comme l'Opéra, et surtout avec leur foule de promeneurs. C'est la Rive Droite, qui incarne le Paris moderne, le Paris élégant, le Paris des hommes d'affaires, le Paris des somptueux quartiers de résidence et des misérables quartiers pauvres.

Revenons sur nos pas vers le point où la Rue Royale débouche sur la Place de la Concorde. De l'autre côté de la place, il y a un pont qui traverse la Seine. Par ce pont on arrive à la Rive Gauche, au Boulevard Saint-Germain avec ses antiquaires et ses boîtes de nuit consacrées aux chansonniers d'avant-garde littéraire, au Quartier Latin avec son université, ses écoles, ses bibliothèques, ses librairies et ses étudiants. Si la Rive Droite représente les affaires et l'argent, la Rive Gauche incarne la culture et l'esprit. C'est le cerveau de Paris.

A l'autre bout de ce pont nous voyons les colonnes grecques du Palais Bourbon, où se réunit l'Assemblée Nationale, et derrière lui, la coupole élégante du Dôme des Invalides,[11] sous lequel repose l'empereur Napoléon, et la silhouette de la Tour Eiffel.

Mais en plus de ces deux perspectives, celle de la Madeleine et celle du Palais Bourbon, deux autres, encore plus grandioses, s'offrent à nos yeux du milieu de la grande place. Voici, d'un côté, les arbres du jardin des Tuileries avec ses fontaines, ses parterres de fleurs, ses innombrables statues et, au loin, la masse scintillante du Louvre, du plus grand musée du monde.

[11] **Dôme des Invalides** Chef-d'œuvre de l'architecture classique, construit sous Louis XIV. La grande coupole fait partie de l'Hôtel des Invalides, appelé ainsi parce qu'il était destiné à abriter des soldats infirmes.

(En haut) Derrière le jardin des Tuileries, on voit le Louvre avec ses six musées. (French Government Tourist Office, San Francisco)

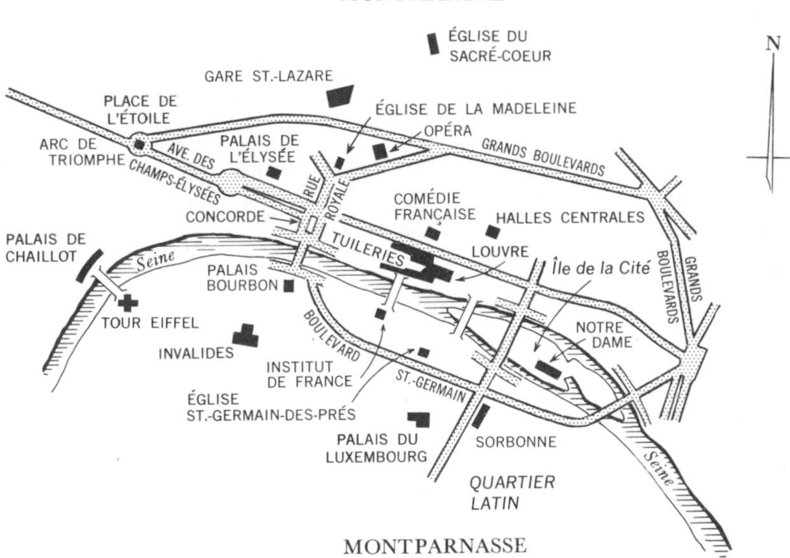

Ces bâtiments, trop vastes pour tenir sur une seule photo, abritent six musées avec trois cent mille œuvres d'art.

Du côté opposé de la Place de la Concorde, voici l'entrée de l'Avenue des Champs-Élysées, encadrée par deux chevaux en marbre blanc qui brillent au soleil; de chaque côté, six files d'autos. L'avenue monte doucement vers l'Arc de Triomphe, qui se dresse au loin. Comme un mirage gigantesque il est là, au milieu de la Place de l'Étoile, d'où rayonnent douze avenues. Entre le Louvre et l'Arc de Triomphe, les Tuileries, la Concorde et les Champs-Élysées forment une voie triomphale somptueuse. La perspective grandiose des monuments alignés sur cette ligne droite, longue de sept kilomètres, défie l'imagination.

Derrière l'Arc de Triomphe, qui s'élève au milieu de la Place de l'Étoile, on voit l'Avenue des Champs-Élysées; au loin, la Place de la Concorde, les Tuileries et le Louvre—la voie triomphale. (French Government Tourist Office, New York)

DEUXIÈME PARTIE

Le Paysan

12

Le village typique est petit, accroché au flanc d'une colline, blotti au pied d'une montagne, perdu dans la plaine ou perché sur des falaises. Ses maisons de pierre avec leurs toits aux tuiles rouges, séparées par des ruelles étroites et tortueuses, entourent la grand'place, où se trouvent l'église, la mairie, le café. Souvent un château médiéval sur sa colline domine le village. A quelque distance, ça et là, parmi les carrés et les rectangles verts et jaunes des champs, il y a des fermes isolées.

Voilà le schéma de la campagne française tel que l'ont fixé les romanciers et les peintres. Bien entendu, c'est un cliché, comme l'est l'image du paysan vêtu d'une blouse de coton bleu, des sabots aux pieds, marchant derrière sa charrue; mais si c'est un cliché, dans une certaine mesure il n'en reste pas moins vrai. La campagne française change, en effet, très peu et très lentement; c'est ce qui fait à la fois son charme et sa misère.

Les réformateurs concentrent en ce moment leurs efforts sur le paysan. Son mode de vie doit changer. On veut transformer en agriculteur progressiste ce paysan qu'on sait pourtant plus conservateur que le reste des Français.

La France a toujours eu la réputation d'être un pays riche; le plus riche de l'Europe, en tout cas. Cela veut dire qu'elle est fertile, mais cette fertilité est le résultat d'un effort séculaire, effort fourni par des générations de Français, commencé par les monastères du Moyen Âge et continué par Henri IV[1] au 16e siècle, et par Louis XIV, au 17e. Il a fallu irriguer, arroser, fertiliser et dessécher ce sol pendant des siècles pour pouvoir finalement en cultiver plus d'un tiers. Les Landes, ces magnifiques forêts de pins au sud de Bordeaux, n'étaient, au début du 19e siècle, qu'un désert de dunes mouvantes. La Flandre, si riche aujourd'hui, était un marais. Les rideaux d'arbres qui séparent les champs de Picardie, au nord de Paris, ont été plantés par les paysans pour empêcher l'érosion complète du sol.

Au moment de la crise économique mondiale de 1929, la situation privilégiée de l'agriculture française était un grand avantage pour le pays et a épargné aux Français la faim et les privations qui étaient alors la règle dans les autres pays. Mais dans la guerre de 1939, qui était une lutte entre géants industriels, la France, insuffisamment industrialisée, se trouvait reléguée au rang d'une puissance de second plan. C'est après la guerre, et grâce à l'aide fournie par les États-Unis (Plan Marshall), qu'une transformation rapide et radicale de l'agriculture et de l'industrie française a été initiée.

Grâce à la richesse du sol, l'agriculture française s'était toujours distinguée par la variété de ses produits: plantes industrielles, primeurs de Provence, blé de Beauce, vins de Bourgogne, de Bordeaux, du Languedoc, dont les vignobles s'étendent sur une distance de trois cents kilomètres. Mais si le paysan français pouvait, à juste titre, se vanter de la qualité de ses produits, ses méthodes de cultiver le sol étaient depuis longtemps périmées. Avant la guerre de 1939, il pouvait sur-

[1] **Henri IV** Parmi tous les rois de France, c'est lui, le bon roi Henri, pour qui le peuple français a le plus d'attachement. Il était le chef du parti protestant lorsqu'en 1589 il devint roi de France. Non reconnu comme roi à cause de sa religion, il était forcé de conquérir son royaume. Il promulga l'Édit de Nantes pour mettre fin aux guerres de religion et, après sa victoire sur la Ligue catholique, il devint catholique pour persuader au peuple de Paris de le laisser entrer dans la capitale. Son règne rétablit l'ordre et la sécurité en France. Il fut assassiné en 1610. Sa statue équestre sur le Pont Neuf, à Paris, est un monument célèbre.

vivre seulement grâce à la protection d'une forte barrière douanière. Par le traité de Rome de 1957, qui a établi la Communauté Économique Européenne (C.E.E.), la France s'est engagée à abolir ces barrières graduellement.

L'occupation allemande pendant la guerre de 1939 amena une pénurie de vivres et même une famine, car les récoltes françaises ne couvraient que les cinquante pour cent des besoins du pays. Après la Libération, le gouvernment institua donc un plan de développement agricole. Aujourd'hui, cette bataille de la production est gagnée, et il n'y a plus pénurie, mais surproduction, grâce à la modernisation des méthodes de travail. Avant la guerre, il y avait trente-cinq mille tracteurs en France, mais aujourd'hui il y en a six cent mille. Le nombre total de batteuses a passé de deux cents à quarante-cinq mille. De nouvelles écoles d'agriculture et des laboratoires de recherche propagent les méthodes scientifiques. Mais si l'agriculture française a remporté une victoire triomphale, la situation du paysan reste néanmoins précaire.

En dehors de certaines régions, comme l'Île-de-France ou la Beauce, cette grande plaine entre Paris et Orléans avec ses énormes champs de blé, les propriétés sont petites et les champs nombreux. La moitié des fermes sont cultivées par les membres d'une seule famille, et ces familles sont en général, depuis des générations, les propriétaires de la terre qu'elles cultivent. Les pères, pour donner une dot à leurs filles quand ils les mariaient, ou un héritage à leurs fils quand ils mouraient, ont, au cours des années, dispersé la propriété de la famille. C'est pourquoi le paysan français possède souvent plusieurs champs assez petits, séparés les uns des autres, enclavés par les terrains d'autres paysans. Les dimensions des champs et leur situation rendent impossible l'emploi de machines agricoles, ce qui prive le cultivateur français du profit qui lui permettrait de concurrencer son rival allemand ou hollandais. C'est pourquoi le gouvernement encourage, par un programme dit de remembrement, l'échange de terrains entre paysans et l'achat d'équipe-

Les champs sont si petits que l'emploi de machines agricoles est impossible. Notez les haies de cyprès qui séparent les champs. (French Government Tourist Office, San Francisco—Yan)

ment mécanique par des coopératives agricoles. La tâche est pourtant difficile, car le paysan français est conservateur et se méfie de toute innovation, particulièrement si c'est le gouvernement qui la recommande.

5 Les difficultés du paysan français proviennent, en dernier ressort, du fait qu'il ne peut plus produire lui-même, comme

au bon vieux temps, tout ce qu'il consomme, mais qu'il est forcé de vendre ses produits pour acheter ce dont il a besoin. Or, son profit est trop modeste pour lui permettre de payer les prix fort élevés de l'industrie, et de bénéficier ainsi de l'augmentation générale du niveau de vie qui caractérise la France d'après-guerre. 5

En 1953, il y avait donc pour la première fois une grève des paysans, qui protestaient contre les conditions économiques en barrant les routes vers Paris pour empêcher le ravitaillement de la capitale. D'autres incidents semblables se sont produits depuis. Tandis que la population de la France augmente rapidement, celle de la campagne française diminue, car les jeunes préfèrent la vie dans la ville, où il est facile de trouver du travail bien payé et des amusements. Le dépeuplement de la campagne, où l'on trouve parfois des villages complètement abandonnés, crée des problèmes sérieux. En 1911, les quarante-cinq pour cent de la population laborieuse travaillaient dans l'agriculture; aujourd'hui, ce chiffre est tombé à vingt-cinq pour cent, et la main d'œuvre commence à manquer. Le gouvernement cherche à améliorer la situation du paysan. Il lui offre maintenant les bénéfices de la sécurité sociale; il y a des allocations pour la vieillesse, pour les familles nombreuses, et pour les mères qui restent au foyer au lieu d'aller travailler. 10 15 20

Le désaccord entre prix agricoles et prix industriels est le résultat de l'industrialisation d'après-guerre, inévitable si la France voulait rester, ou redevenir, une nation de premier plan. Mais ce désaccord nécessite l'intervention du gouvernement dans la vie du paysan pour équilibrer la demande et la production, pour organiser la modernisation de l'agriculture, et pour protéger le niveau des prix agricoles. C'est ce qu'on appelle la doctrine du dirigisme, qui doit permettre au paysan français, privé de son marché local, autrefois si important dans la vie de la campagne, de bénéficier du marché national et, dès la réalisation de la C.E.E., d'assumer un rôle important sur le marché européen. 25 30 35

Cette usine énorme de la Compagnie Française des Produits Chimiques Shell se classe en importance avec celles des États-Unis. (Photothèque Shell Berre—Alain Perceval)

L'Industrie

13

L'économie française n'est dominée ni par l'agriculture ni par l'industrie; c'est une économie équilibrée. En ce qui concerne l'intégration de cette économie dans l'union européenne de demain, c'est sans doute l'industrie qui est dans une meilleure position pour y assumer un rôle important. 5

Sa prospérité actuelle est due, en grande partie, à l'initiative du gouvernement qui, après la Libération, procéda à une extension systématique de l'activité industrielle. Des plans de développement fort ambitieux, dont le premier date de 1947, et qui se sont succédés depuis à des intervalles réguliers, ont 10 donné des résultats spectaculaires, grâce, en grande partie, au Plan Marshall, qui fournissait les soixante pour cent des investissements en 1948, les quatre-vingts pour cent en 1949, les cinquante pour cent encore en 1950.

Cette intervention de l'état dans l'activité économique—c'est- 15 à-dire le dirigisme agricole et industriel—s'explique facilement. Les deux guerres mondiales ont soumis l'économie française à une épreuve des plus dures. Pendant la guerre de 1914, sept départements du nord furent envahis et dévastés. Durant la guerre de 1939, l'occupation allemande et les bombardements 20 alliés causèrent des dégâts énormes. Au lendemain de la guerre, l'industrie française dut confronter la tâche gigantesque de reconstituer l'équipement perdu et de moderniser les installations négligées depuis le début des hostilités. La tâche était trop vaste pour être abordée par l'initiative privée sans l'aide du gouvernement et sans l'aide financière des États-Unis. Ainsi, le dirigisme est devenu le facteur le plus saillant dans la vie économique du pays.

Les industries de base, comme les charbonnages, les usines hydro-électriques et diverses autres, font désormais partie de ce qu'on appelle le secteur nationalisé. Il en est de même pour les grandes banques, les usines d'automobiles Renault, les communications ferroviaires, assurées par la Société Nationale des Chemins de Fer Français (S.N.C.F.), et d'autres encore. Air France, la plus grande des compagnies aériennes du monde, les grandes compagnies de navigation, et diverses industries font partie du secteur mixte, où l'initiative privée coopère avec le gouvernement. L'administration des Postes et Télécommunications, les produits de tabac, les allumettes sont depuis longtemps des monopoles d'état. La Radio-Télévision Française (R.T.F.) a été placée sous l'administration de l'état après la guerre. Le gouvernement est donc à même de diriger le développement de l'industrie, de régler la production, de contrôler les prix et, d'une façon générale, de mettre l'activité économique au service de sa politique.

Le plus grand problème de l'industrie française a toujours été le manque de matières premières. Il est vrai qu'en France, et plus particulièrement en Lorraine, se trouvent les gisements de minerai de fer les plus riches d'Europe, et c'est grâce à eux qu'une importante industrie métallurgique s'est développée dans l'est, dans le nord et dans le Massif Central. Mais la France doit importer à peu près toutes les autres matières premières essentielles, à commencer par la houille, qu'elle extrait en quantités insuffisantes. Elle produit très peu de pétrole et importe presque la totalité de ses besoins en coton, laine, jute, soie, textiles artificiels, caoutchouc, plomb, zinc et tant d'autres.

C'est à cause de ce manque de ressources naturelles que la

révolution industrielle du début du 19e siècle n'a pas réussi à transformer la France en un pays entièrement industrialisé. La France a néanmoins pu monter des industries métallurgique et chimique qui se classent au cinquième rang dans le monde après celles des États-Unis, de l'Allemagne, de la Grande Bretagne et de l'U.R.S.S. Manquant des ressources qu'il faut pour créer une industrie de quantité, la France a toujours favorisé la production d'articles de qualité et de luxe: ameublement élégant, lingerie, bijoux, fourrures, couture, bibelots—tout ce qu'on appelait autrefois «articles de Paris». 10

De nos jours, il est vrai qu'on peut trouver, par exemple, des turbines d'origine française dans une usine hydro-électrique du Brésil, mais en même temps la France continue à vendre au monde de la porcelaine, des tapisseries, du cognac et des parfums. De là, ce contraste curieux entre l'usine électrique à l'estuaire de la Rance, près de Saint-Malo, la première du monde à utiliser le mouvement de la marée pour la production d'énergie électrique, et, d'autre part, la survivance de tant d'entreprises petites ou moyennes, personnelles ou familiales. En France, on trouve encore l'artisan qui a appris son métier de son père, ou le paysan qui, en hiver, à ses heures de loisir, produit sur un métier à tisser une étoffe de qualité qui est une œuvre d'art.

En France, on est moderne sans être moderniste. La plupart des Français gardent le contact avec le sol; ils sont fils ou petits-fils de paysans. Souvent ils possèdent quelque part un lopin de terre où ils comptent se retirer un jour. Ils ont la ténacité du paysan, son esprit économe, son individualisme farouche, et sa méfiance des innovations. Cette attitude paysanne est une plante robuste qui résiste même au vent froid de l'industrialisation. Dans beaucoup d'entreprises, c'est encore le paternalisme qui gouverne les rapports entre employés et employeurs, de façon que le patron assume toute l'autorité et toute la responsabilité pour l'organisation du travail et le bien-être de son personnel.

L'atmosphère est pourtant en train de changer. L'homme

d'affaires français, conservateur par tradition, apprend lui aussi à essayer des techniques nouvelles, à considérer l'ouvrier comme un partenaire plutôt qu'un subordonné, à tenir compte de ce qui se passe dans le monde; en un mot, à ne plus vivre «à 5 l'heure de son clocher», pour employer un mot qui fait image.

L'ouvrier aussi change peu à peu. Il abandonne sa méfiance du patron, de tous ceux qui gagnent gros, parce que lui-même commence à gagner bien plus qu'avant. Un système fort complexe de sécurité sociale assure à l'ouvrier et à l'employé, dont 10 les salaires n'ont pas suivi la hausse des prix, une existence à l'abri du besoin. Il y a, par exemple, des allocations gouvernementales pour les vieux, pour les familles nombreuses, pour les femmes enceintes et les mères empêchées de chercher du travail; il y en a pour les familles où il n'y a qu'un seul salarié; 15 et on a même des prestations basées sur le coût de vie local pour égaliser les salaires, qui diffèrent souvent d'une région à l'autre.

Jouissant de la prospérité générale, protégé du chômage et assuré contre les risques de santé, l'ouvrier français n'est plus 20 en rébellion permanente contre la société comme il l'était encore il y a une vingtaine d'années.

Il a tous les ans son congé payé garanti par la loi et il peut profiter des trains spéciaux que la S.N.C.F. met à sa disposition pour partir en vacances. S'il a de la chance, il est peut-être 25 propriétaire d'une petite Dauphine, achetée à crédit, et il peut emmener sa famille sur la Côte d'Azur, ou même en Espagne, pour y faire du camping.

Le devoir qu'affronte l'économie française, comme celle des autres nations européennes, à l'heure qu'il est, c'est son in- 30 tégration dans un marché commun des pays européens. Le traité sur lequel ce marché commun, la C.E.E., est basé, est entré en application le 1er janvier 1958. Les membres de la C.E.E.—c'est-à-dire la France, l'Allemagne de l'Ouest, l'Italie, la Hollande, la Belgique et le Luxembourg—se sont engagés à élimi- 35 ner graduellement les barrières économiques qui les séparent.

La manufacture d'articles de luxe, comme de ces tapisseries, est entre les mains de spécialistes qui sont de véritables artistes. La fondation de cette manufacture remonte au 16e siècle. (French Cultural Services, San Francisco)

Il va de soi que l'intégration est difficile, mais elle a déjà commencé, et si elle réussit, le traité de Rome aboutira peut-être un jour à une union politique–c'est-à-dire à une sorte d'États-Unis d'Europe.

(En haut) Dans l'hémicycle du Palais Bourbon, les députés écoutent un message du général de Gaulle à l'Assemblée Nationale. (French Embassy Press and Information Division, New York)

(En bas) Le palais de l'Élysée est la résidence du président de la République. (French Government Tourist Office, Beverly Hills)

La Vie Politique

14

LES ANTÉCÉDENTS

La Déclaration de l'Indépendance américaine et, en 1789, treize ans plus tard, la Révolution française marquent la fin de l'ancien régime et le début d'une époque nouvelle dans l'histoire. C'est-à-dire qu'une affinité profonde lie ces deux républiques, les États-Unis et la France, si différentes pourtant à bien des points de vue.

Les discours du 4 juillet à Washington fêtent, en effet, les mêmes principes que ceux du 14 juillet à Paris, car la Déclaration des droits de l'homme et du citoyen,[1] charte de la Révolution française, a emprunté ses principes à l'Amérique. Mais c'est la France qui a donné à ces idées la forme pratique que les diverses républiques européennes et d'Amérique latine ont calquée dans leurs constitutions.

Depuis la Révolution, la France a changé de régime à plusieurs reprises. Un coup d'état de Napoléon Ier mit fin à la première République en 1799; un autre coup d'état, de Na-

[1] **Déclaration des droits de l'homme et du citoyen** L'Assemblée constituante vota en 1789 une déclaration de principes qu'elle considérait comme la base nécessaire de toute société démocratique. Toutes les constitutions républicaines adoptées en France depuis la Révolution respectent ces principes.

poléon III,[2] à la deuxième, qui n'avait duré que trois ans, de 1848 jusqu'en 1851. La troisième République, née de la défaite de Napoléon III en 1870, est celle qui a vraiment créé la tradition républicaine en France, car elle a duré jusqu'à la défaite de la France en 1940, dans la Deuxième Guerre mondiale. Après la Libération, en 1946, la France s'est donne de nouveau un régime républicain. Cette quatrième République et la troisième, qui l'avait précédée, se ressemblaient comme deux gouttes d'eau, ce qui inquiétait le pays puisque la troisième République s'était gravement compromise par sa politique de faiblesse envers l'Allemagne de Hitler.

Après la défaite et l'occupation allemande, la quatrième République a pourtant réussi à assurer le redressement économique de la nation, à reconstruire les villes détruites, et à faire de la France un pays jeune grâce à un taux de natalité favorable pour la première fois depuis 1936. Mais les gouvernements de la quatrième République manquaient de stabilité. Ils n'arrivaient pas à établir des liens économiques et militaires solides avec les autres membres de la Communauté Économique Européenne, et ils s'enlisaient dans des guerres sans espoir, interminables et coûteuses, en Indochine[3] et en Algérie. C'est cette incapacité de résoudre les problèmes de la décolonisation qui a causé la crise dramatique du 13 mai 1958 et qui a donné naissance à la cinquième République.

La France avait perdu l'Indochine après une guerre cruelle qui durait de 1945 à 1954; elle luttait en Algérie depuis 1954,

[2] **Napoléon III** Napoléon III, neveu de Napoléon Ier, fut élu président de la deuxième République en 1848. Il réussit à se faire proclamer empereur et gouverna jusqu'en 1870, lorsque la défaite de la France dans sa guerre contre la la Prusse et les autres états allemands mit fin à son règne. On appelle premier et second Empires les règnes de Napoléon Ier et de Napoléon III. Le nom de Napoléon II est réservé pour le fils de Napoléon Ier qui, pourtant, n'a jamais régné, et qui est mort à Vienne, en Autriche, à l'âge de vingt et un ans.

[3] **Indochine** La grande péninsule située entre la Chine et l'Inde. Le terme désigne ici l'ancienne Indochine française, divisée maintenant en trois états: le Cambodge, le Laos et le Vietnam.

et ses autres territoires d'outre-mer réclamaient leur indépendance ou une autonomie plus grande. C'était une crise permanente qui divisait le pays, car les uns proposaient d'accorder leur indépendance à ces territoires, tandis que les autres voulaient employer la force pour que l'empire colonial, et surtout l'Algérie, restent français. 5

Or, le 13 mai 1958, une insurrection de l'armée éclate en Algérie. Les colons français dans ce pays et l'armée demandent que la France s'oppose aux demandes des nationalistes algériens, appuyées en France même par une partie considérable 10 du public, qui est las de cette guerre sanglante. Les généraux demandent la démission du gouvernement et la dissolution du parlement, et menacent de faire occuper Paris par une troupe d'élite, les parachutistes, si le général de Gaulle ne prend pas la direction du gouvernement. 15

Le prestige de Charles de Gaulle était alors énorme. Pendant la guerre, il avait organisé la résistance française à Londres pour continuer la lutte contre les Allemands lorsque le gouvernement du maréchal Pétain[4] accepta l'occupation du pays et la coopération avec l'ennemi. Charles de Gaulle avait donc 20

[4] **Pétain** Le maréchal Philippe Pétain remporta une grande victoire sur les Allemands à Verdun en 1916, pendant la Première Guerre mondiale. Plus tard il devint commandant en chef des forces françaises. Son prestige moral était si grand qu'en 1940, durant la Seconde Guerre mondiale, lorsque les Allemands avaient occupé tout le nord de la France, il fut chargé de former un gouvernement pour demander un armistice. Il établit alors en France un régime totalitaire, l'État Français, qui coopérait avec l'Allemagne de Hitler. De Gaulle, alors général dans l'armée française, refusa d'observer l'armistice. Il se rendit à Londres, d'où il lança un appel au peuple français, lui demandant de continuer la résistance aux côtés de ses alliés. Dans cet appel historique du 18 juin 1940, il disait que la France avait perdu une bataille mais pas la guerre, puisque son empire d'outre-mer restait intact. Après la libération de la France en 1945, Pétain fut accusé de trahison et condamné à mort, mais gracié par de Gaulle. Pétain avait alors quatre-vingt-neuf ans. Il fut interné à l'île d'Yeu, où il mourut à l'âge de quatre-vingt-quatorze ans. Charles de Gaulle, qui avait fondé un gouvernement provisoire avant la libération du pays, se retira de la vie politique en 1946, lors de l'adoption de la constitution de la quatrième République. Il est revenu au pouvoir en 1958.

sauvé la France une fois. On espérait, en 1958, qu'il la sauverait de nouveau, et que grâce à lui l'Algérie, où vivaient plus d'un million de Français, resterait française. Mais beaucoup de Français soupçonnaient de Gaulle de vouloir abolir la république pour la remplacer par une dictature.

Au moment de la crise, un contingent de parachutistes débarquent en Corse. Des milliers de Parisiens manifestent dans les rues de la capitale pour de Gaulle. La pression augmente. L'armée refuse d'obéir aux ordres du gouvernement. C'est de Gaulle ou les paras! Pour éviter une guerre civile et une dictature militaire on offre alors au général de Gaulle la direction du gouvernement. Il accepte sous condition qu'on lui accorde des pouvoirs extraordinaires pour gouverner, pendant six mois, sans parlement. Pendant ce temps il préparera une nouvelle constitution qui sera soumise au référendum du peuple français. La quatrième République est morte!

Le 28 septembre 1958, le peuple français adopte, par un référendum avec une majorité de quatre-vingts pour cent, la nouvelle constitution de la cinquième République.

A la surprise générale, de Gaulle tranche le problème algérien en accordant aux Algériens l'indépendance au lieu d'employer contre eux la force, comme l'avaient demandé ses partisans, les colons, les généraux et les nationalistes, auxquels il devait son retour au pouvoir. Et alors, il prépare le renouveau du pays, qu'il avait préconisé depuis la Libération. La paix et le calme reviennent. Pour la première fois, la France vit sous un régime présidentiel plutôt que parlementaire. Ce nouveau régime ressemble, du reste, nettement à la démocratie américaine.

Voici un tableau chronologique des régimes politiques depuis la Révolution.

1792–1804 Première République
1804–1815 Premier Empire (Napoléon Ier)
1815–1848 Restauration de la monarchie
1848–1852 Deuxième République

1852–1870	Second Empire (Napoleon III)
1870–1940	Troisième République
1940–1944	État Français (Philippe Pétain)
1944–1946	Gouvernement provisoire (Charles de Gaulle)
1946–1958	Quatrième République
1958–	Cinquième République

LA CINQUIÈME RÉPUBLIQUE

La Constitution confère des pouvoirs très larges au président de la République, qui avait auparavant un titre purement honorifique. C'est une nouveauté dans les traditions républicaines de la France, et une nouveauté qui paraît à beaucoup illogique et dangereuse. C'est en effet le parlement qui, au cours de l'histoire, a toujours été le champion de la liberté, menacée par de grands chefs militaires ou populaires. On pense à Napoléon Ier, Napoléon III, qui se fait empereur après avoir été élu président de la République, ou le général Boulanger, qui cherche à renverser le régime républicain en 1886. Les ennemis du général de Gaulle n'ont pas manqué d'attirer l'attention sur ces précédents inquiétants.

Le président de la République est élu pour sept ans par un collège électoral d'environ cent mille personnes. Celui-ci comprend les membres du parlement et les représentants des départements et des communes, parmi lesquels domine une majorité rurale conservatrice. Le président nomme un premier ministre et, sur sa proposition, les différents membres du cabinet: les ministres des Affaires Étrangères, des Finances, de l'Intérieur, de l'Éducation Nationale, et d'autres. Ceux-ci ne peuvent ni être membres du parlement, ni exercer de fonction publique. Le président de la République préside au conseil des ministres, qui assure l'exécution des lois. Il promulgue les lois votées par le parlement. Il nomme les ambassadeurs, les préfets des départements, tous les hauts fonctionnaires, les recteurs des académies[5] et les officiers militaires. Il est le commandant en chef des forces armées. Il négocie et ratifie la plupart des traités internationaux. S'il y a un différend entre lui et le parlement, il peut dissoudre la chambre basse, appelée Assemblée Nationale, pour annoncer de nouvelles élections. Il peut soumettre des projets de loi au référendum des électeurs. En cas de danger immédiat pour les institutions de la République il peut même gouverner sans parlement. C'est surtout cette dernière clause, le fameux article seize, qui inquiète les adversaires du régime présidentiel.

Le premier ministre et son cabinet sont responsables de leurs actes devant le Parlement, mais la Constitution limite sérieusement cette responsabilité et les prérogatives du parlement, qui étaient considérables sous la troisième et la quatrième Républiques. L'assemblée pouvait alors forcer la démission du cabinet en votant contre lui, et elle abusait souvent de cette prérogative dont l'exercice est rendu fort difficile par la Constitution de la Cinquième République. De là, la stabilité du gouvernement sous le régime actuel.

Le Parlement se compose de deux chambres: le Sénat, élu par un collège électoral semblable à celui qui choisit le président de la République; et l'Assemblée Nationale, dont les membres, appelés députés, sont élus au suffrage direct. C'est le Parlement qui exerce le pouvoir législatif.

La Constitution prévoit également un Conseil Constitutionnel, de neuf membres, qui décide si les lois et les actes du gouvernement sont conformes à la Constitution, et un Conseil Économique et Social, que le gouvernement consulte en cas de nécessité.

La Constitution s'applique non seulement aux quatre-vingt-

[5] **Recteurs des académies** Les chefs des divisions appelées académies sur lesquelles est basée l'organisation scolaire. Il y a actuellement vingt-trois académies. Le rôle des académies sera expliqué dans le chapitre sur l'enseignement.

quatorze départements de la France métropolitaine, mais aussi aux départements d'outre-mer. Ceux-ci comprennent la Guadeloupe et la Martinique, îles Antillaises; la Réunion, île de l'Océan Indien; et la Guyane Française, contiguë au Brésil. Ces régions sont à tous points de vue administrées de la même façon que la France elle-même; elles représentent ce qui reste de l'empire colonial français du 18e siècle. La Polynésie Française et la Nouvelle Calédonie, dans le Pacifique sud, et St.-Pierre-et-Miquelon, petites îles voisines de Terre-Neuve, françaises depuis 1536, forment des territoires d'outre-mer au lieu de départements.

Les états africains, qui ont librement accepté la Constitution de 1958, forment avec la République française la Communauté. Ils sont au nombre de six: Sénégal, Chad, République Malagasse, Congo Français, Gabon, République Centre-Africaine. C'est ce qu'on appelait avant la guerre de 1939 l'empire colonial, mais ce sont aujourd'hui des états qui gardent leur pleine autonomie. Des liens économiques et culturels spéciaux lient six autres républiques africaines à la France. Ce sont d'anciennes colonies qui ont choisi l'indépendance complète au lieu de rester dans la Communauté. On les appelle les pays francophones d'Afrique puisque le français y reste la langue de culture: Mali, Mauritanie, Côte d'Ivoire, Niger, République de Haute-Volta et Guinée.

En somme, la France a joué un rôle assez honorable dans la décolonisation récente. Elle avait préparé les habitants de ses colonies à l'exercice des responsabilités démocratiques. Chaque territoire d'outre-mer avait son assemblée représentative. L'Afrique Occidentale Française, par exemple, qui n'avait que cinq cent mille électeurs au lendemain de la guerre, en avait dix millions lors du référendum de 1958. Même avant 1958, il y avait à l'Assemblée Nationale soixante-trois députés d'outre-mer, et la présence dans le cabinet de ministres noirs était une tradition fermement établie. En 1958, la France a assumé une charge relativement supérieure à celle de toute autre nation pour venir en aide aux pays sous-développés qui étaient ses anciennes colonies.

La multiplicité des partis est la caractéristique la plus frappante de la vie politique en France; environ quinze partis sont, en général, représentés à l'Assemblée Nationale. Aucun de ces partis n'a une histoire aussi longue que les partis politiques en Angleterre ou aux États-Unis; depuis la guerre, vingt partis nouveaux ont fait leur apparition dans l'arène politique, et quinze d'entre eux ont déjà disparu.

L'origine des partis politiques européens remonte aux conservateurs et aux libéraux du 19e siècle; les uns étaient partisans de l'ancien régime monarchique, tandis que les autres s'y opposaient au nom des idéaux inspirés par la Révolution française. Cette parenté se trahit par l'alignement actuel des partis français. Les termes mêmes de *droite* et de *gauche* remontent à la disposition des sièges des députés dans les premières assemblées révolutionnaires. Cette disposition des sièges a été perpétuée dans l'hémicycle du Palais Bourbon, siège actuel de l'Assemblée Nationale.

La droite garde la nostalgie des régimes autoritaires. Elle était donc pour Boulanger en 1886, pour Pétain durant la guerre, pour de Gaulle au moment de l'insurrection en Algérie. Aujourd'hui, les députés de droite forment un groupe qui va des conservateurs modérés, représentant le commerce et l'industrie, aux extrémistes et nationalistes. Leurs petits partis d'extrême droite sont des groupements plus ou moins éphémères.

Sur la gauche, d'autre part, siègent les partis les plus anciens tels que le Parti Communiste (P.C.) et le Parti Socialiste (S.F.I.O.).[6] Ce dernier a des partisans parmi les ouvriers, les employés, la classe moyenne, les intellectuels. Mais un groupe

6 **Parti Socialiste** L'abréviation de Section Française de l'Internationale Ouvrière donne S.F.I.O.

de jeunes intellectuels qui, en 1958, ont formé un second parti socialiste, le Parti Socialiste Unifié (P.S.U.), lui reprochent sa modération et son manque d'esprit révolutionnaire. Ils disent que le Parti Socialiste est un parti sclérosé. Le P.C. est étroitement lié avec la Confédération Générale du Travail (C.G.T.), 5 de loin le plus grand des syndicats d'ouvriers—les autres étant la Force Ouvrière, qui est socialiste, et la Confédération Française des Travailleurs Chrétiens, qui est catholique. La grande majorité des électeurs communistes ne sont pas des communistes militants, et ils votent pour leur parti plutôt pour 10 protester contre la vie chère ou la mauvaise condition des routes que pour révolutionner le monde.

Entre la droite et la gauche se situe le Parti Radical-Socialiste, qui, malgré son nom effarant, n'est ni radical ni socialiste. Il accorde son appui tantôt aux uns, tantôt aux autres. C'est le 15 parti de la petite bourgeoisie, des petits commerçants, des retraités, des conservateurs aux idées libérales, et des libéraux aux idées conservatrices.

Le seul parti important issu de la Libération, le Mouvement Républicain Populaire (M.R.P.), constituait un parti catho- 20 lique très libéral dans sa politique étrangère et en matière sociale. Le groupement de députés le plus influent, qui n'est pourtant pas un parti politique dans le vrai sens du mot, est l'Union pour la Nouvelle République (U.N.R.), qui est partisane du général de Gaulle. 25

Étant donné le grand nombre de partis et de groupements de moindre importance, aucun d'eux n'a jamais la majorité absolue à l'Assemblée Nationale. Ainsi, le gouvernement doit solliciter l'appui d'une coalition de plusieurs partis pour s'assurer une majorité à l'assemblée, puisque celle-ci peut forcer 30 sa démission en votant contre lui. C'est ce jeu de coalitions passagères qui rendait possible, sous la quatrième République, la succession folle des gouvernements, dont certains n'exerçaient le pouvoir que pendant quelques semaines. Les apparences sont pourtant trompeuses, et derrière l'instabilité des régimes et des 35 gouvernements, c'est la permanence des traditions qui caractérise la vie politique française. Les édifices vénérables qui en forment la scène sont les symboles mêmes de cette permanence: le Palais Bourbon, siège de l'Assemblée Nationale; le Palais du 5 Luxembourg, où se réunit le Sénat; le Palais de l'Élysée, résidence du président de la République.

Le préambule de la constitution de 1958 proclame, comme les constitutions républicaines qui la précédaient, l'attachement du peuple aux droits de l'homme et du citoyen formulés en 10 1789, attachement qui est devenu un article de foi pour tous les républicains. Cette constitution de 1958 ne change rien aux formules consacrées. Elle réaffirme que la France est une république laïque, c'est-à-dire qu'il y a séparation de l'état et de l'église; elle ajoute que c'est une république démocratique et 15 sociale; elle garantit l'égalité des citoyens devant la loi sans distinction d'origine sociale, de race ou de religion. Elle dit que le drapeau national est bleu, blanc et rouge; que la devise de la République est «Liberté, Égalité, Fraternité», et son principe le «gouvernement du peuple, par le peuple et pour le 20 peuple». L'hymne national est la «Marseillaise», ce chant révolutionnaire composé en 1792 par le jeune poète Rouget de Lisle, adopté par les troupes de Marseille dont il prend son nom, et qu'on chante encore de nos jours partout où l'on lutte pour la liberté.

25 La pérennité de ces symboles semble garantir celle des institutions républicaines. Les régimes et les gouvernements changent souvent en France, mais les hauts fonctionnaires restent pour assurer la continuité de la vie politique. C'est pourquoi on peut dire que la France est parfois mal gouvernée, 30 mais toujours bien administrée.

La Langue

15

Le Français moyen prend un intérêt passionné aux choses de la langue. Dans une réunion d'amis, une question telle que l'accord du participe passé avec le complément direct qui le précède soulèverait sans doute une discussion animée. Les grands quotidiens, comme *Le Monde* et *Le Figaro,* publient une rubrique consacrée aux questions de la langue. Lorsque l'expert du journal tranche un problème tel que la différence—imaginaire ou réelle—entre *second* et *deuxième,* le public réagit souvent par une vague de protestations et d'approbations, publiées à leur tour pour provoquer d'autres approbations et protestations.

A l'école primaire et au lycée, la maîtrise de la langue maternelle est le but primordial de tout enseignement. Une faute d'orthographe peut décider du sort d'un jeune homme qui cherche à obtenir un emploi. On a tendance à juger de la valeur d'une personne sur sa prononciation et son style. Une gaffe grammaticale peut ruiner les chances du garçon qui demande une jeune fille en mariage, et ruinerait certainement les chances d'un candidat politique aux élections. D'autre part, celui qui sait manier la langue, un poète ou écrivain, impose facilement son autorité morale dans le domaine politique ou social, et sa protestation contre un acte du gouvernement peut amener une crise politique. C'est à cause de cette estime accordée à tout ce qui concerne la langue ou la littérature qu'on a qualifié la civilisation française de civilisation littéraire.

La marche triomphale de la langue française a commencé au 16e siècle, lorsque le poète Joachim Du Bellay,[1] dans sa *Défense et Illustration de la Langue Française,* réclama pour le français l'honneur d'être considéré comme rival digne du latin. La fondation de l'Académie Française par le cardinal Richelieu[2] en 1635 date déjà du Grand Siècle, du siècle de Louis XIV et de Versailles, qui représente l'apogée de la civilisation française. Cette illustre assemblée de quarante hommes représentant l'élite de la nation—l'assemblée des quarante immortels—devait, en compilant un dictionnaire et une grammaire, codifier les lois qui règlent le bon usage de la langue; exemple, unique dans l'histoire, d'une législature pour la parole, officiellement instituée, reconnue et financée par l'état. Le 17e siècle croyait que le français était arrivé à un tel degré de perfection que tout changement ne serait qu'une perversion. On s'est moqué de cette Académie Française et on lui a reproché d'avoir pétrifié la langue, d'avoir empêché par sa dictature l'évolution naturelle du français. Il est certain que l'Académie a ouvert un abîme entre la langue littéraire et celle du peuple, entre l'expression érudite et le mot vulgaire. A la fin du 18e siècle, on en était arrivé à considérer le mot *guerre* comme trop vulgaire, et on disait *Mars* par affectation. Au 19e siècle, Victor Hugo[3] protestait déjà contre cette distinction artificielle, et il se vantait d'écrire, lui, comme le peuple parle. «Je mis un

[1] **Joachim Du Bellay** Poète de la Renaissance. Du Bellay, 1522–1560, formait, avec Pierre de Ronsard et cinq autres poètes, un groupe appelé Pléiade, qui se proposait d'élever la littérature française au rang des littératures grecque et latine.

[2] **Richelieu** Le cardinal Richelieu était ministre sous Louis XIII. C'est l'architecte de la monarchie absolue en France.

[3] **Victor Hugo** Hugo, 1802–1885, était le chef de l'école romantique. Il a écrit des poèmes, des pièces de théâtre et des romans.

bonnet rouge[4] au vieux dictionnaire,» dit-il par allusion à sa verve révolutionnaire. Le regret de cette distinction entre le parler du peuple et la langue écrite continue, de nos jours, à passionner les écrivains.

Il est également certain, d'autre part, que l'Académie Française a contribué à faire respecter le français dans le monde comme instrument merveilleusement adapté à l'expression de la pensée humaine. Le Français, fier de sa langue, affirme volontiers avec Rivarol, auteur d'un *Discours sur l'Universalité de la Langue Française* (1784), que «ce qui n'est pas clair, n'est pas français», ou, avec Anatole France,[5] que «le français a trois qualités: la première est la clarté, la seconde est encore la clarté, et la troisième est toujours la clarté».

Au 18e siècle, personne ne doutait de la prédominance du français, et l'académie de Berlin semblait la reconnaître officiellement en 1784 en offrant un prix pour la meilleure dissertation sur les raisons qui avaient fait du français la «langue universelle». Le français est resté la langue diplomatique universelle au 19e siècle—c'est-à-dire que, dans les négociations et traités entre n'importe quelles nations, le français était la langue officielle. Les premiers traités internationaux rédigés en des langues autres que le français étaient ceux conclus après la Première Guerre mondiale. Le français restait aussi, pendant longtemps, la langue de prestige des élites intellectuelles et sociales, et il l'est de nos jours encore en Amérique latine, au Proche et Moyen-Orient, en Espagne, en Italie et ailleurs. Mais aujourd'hui, c'est le rayonnement prestigieux de la littérature

[4] **Bonnet rouge** Le bonnet phrygien, de couleur rouge, dont le bout pointu tombe en avant, s'appelle ainsi parce qu'on croit que la Phrygie, en Asie Mineure, est son pays d'origine. Coiffe portée par les galériens, le bonnet phrygien est devenu l'emblème de la liberté révolutionnaire pendant la Révolution française.

[5] **Anatole France** On admire ce romancier, 1844–1924, pour la clarté et la précision de son style.

et du théâtre français dans le monde entier qui donnent à la langue française un ascendant qui dépasse de loin son importance pratique.

Il y a en France plus de quarante-neuf millions de Français dont c'est la langue maternelle. Il faut y ajouter trois millions et demi en Belgique, un million en Suisse romande, et cent cinquante mille dans quelques vallées des Alpes italiennes. Il ne faut pas oublier les trois millions de Canadiens de souche française, ni les communes en Nouvelle Angleterre et en Louisiane qui parlent français. Il faut faire mention des territoires d'outre-mer qui font partie de la Communauté française, et des pays francophones d'Afrique, qui continuent de parler français quand ils parlent de leur indépendance récemment gagnée. Le français reste la langue officielle du Saint-Siège, et une des langues officielles de l'Organisation des Nations Unies (O.N.U.). Mais du point de vue purement statistique, le russe, le chinois, l'hindoustani sont, en effet, bien plus importants; l'anglais est parlé par deux cent cinquante millions de personnes, le français par soixante-dix millions seulement.

En France même, il y a des populations qui, en plus du français, qu'ils apprennent à l'école, parlent des langues autres que le français. Le flamand, une langue germanique, se parle dans la région de Dunkerque; un dialecte allemand, en Alsace et Lorraine; le catalan, une langue romane, dans les Pyrénées orientales; le basque, dont nous ignorons l'origine, dans les Pyrénées occidentales; des dialectes italiens, en Corse et à Nice; le breton, langue celtique, en Bretagne.

Les débuts de cette langue française, que le monde entier admire, étaient des plus humbles. La Gaule ancienne parlait celtique, mais, conquise par Jules César en 51 avant Jésus-Christ et faisant partie désormais de l'empire romain, elle adopte peu à peu la langue de ses conquérants. Elle l'adopte, cependant, sous sa forme parlée, qu'on apelle *vulgaire,* pour la différencier du latin classique. Ce latin vulgaire, ce qui veut dire latin du peuple, continue à subir des transformations profondes, et devient finalement une langue distincte pour laquelle les philologues ont inventé l'étiquette *romane.* De cette langue romane dérive le français médiéval, qu'on appelle *ancien français.* L'évolution se poursuit, et après une période de changements rapides et radicaux entre 1300 et 1500, période 5 que nous appelons celle du moyen français, cette évolution aboutit à la formation du français moderne du Grand Siècle que Du Bellay voulait «défendre et illustrer», et qui est déjà très proche du nôtre.

Ce français est parent des autres langues romanes telles que 10 l'italien, l'espagnol, le portugais, le catalan, le roumain ou le provençal, qui dérivent toutes également du latin. Il a fourni à l'anglais plus de cinq mille mots par l'intermédiaire des conquérants normands de l'Angleterre. Cet héritage linguistique précieux, qui facilite tant l'étude du français aux personnes de 15 langue anglaise, crée pourtant parfois de la confusion par des termes qui sont de faux amis, comme les mots *actuel* et *actual.* Précisons pourtant que celui qui étudie le français, étudie en réalité ce qui n'était autrefois que le dialecte de l'Île-de-France, le francien. 20

Des patois—c'est-à-dire des façons de parler différentes, particulières aux différentes régions du pays—se développent en France dès l'époque gallo-romaine (en Gaule romaine). La victoire du francien sur les autres dialectes s'explique par des facteurs politiques et historiques. Les rois qui ont fait la France 25 étaient originaires d'Île-de-France, et c'est grâce à eux que le francien est devenu la langue littéraire. Car, bien entendu, on continue aujourd'hui de parler les patois, mais le Parisien ne les accepte pas et ne les comprend pas toujours. Cependant, certaines affinités existent entre tous les patois du nord, la 30 langue d'*oïl* du Moyen Âge. Ce sont eux qui constituent la langue française proprement dite, qu'il faut distinguer de la langue d'*oc* et de ses dialectes, si illustres au temps des troubadours.

Si la différence entre patois est une distinction géographique, 35 l'argot est la façon de parler d'un certain groupe social. Ainsi, on parle de l'argot des étudiants ou de celui des Halles, marché central de Paris. Si le patois paraît curieux, l'argot, la langue verte, choque ou amuse les personnes cultivées. Il fait la fortune des chansonniers et le désespoir des professeurs. Entre amis, on le parle pourtant volontiers, et avec bonne raison, car il est plus personnel, moins formel et moins formaliste que la langue de l'Académie. Ce français littéraire lui-même dérive, après tout, du latin vulgaire, qui était une espèce d'argot. Le français, c'est le latin tel qu'on le parle aujourd'hui.

Les quarante immortels de l'Académie Française dans leurs habits verts richement brodés se réunissent sous la coupole. On voit, au dernier rang à droite, M. André Maurois, à côté de lui le romancier François Mauriac, et au premier rang à droite, l'écrivain Marcel Pagnol. Le cinéaste René Clair, deuxième à gauche au premier rang, tient son épée à la main. (French Cultural Services, New York)

L'Enseignement

16

Depuis la Libération, la société française a subi des changements profonds qui ont rendu inévitable une réorientation du système d'enseignement. Des classes sociales autrefois indifférentes aux choses de l'esprit réclament leur part du patrimoine intellectuel de la nation. L'accroissement prodigieux de la natalité nécessite la construction de centaines de nouvelles écoles et de laboratoires, ainsi qu'un recrutement poussé d'instituteurs et de professeurs. Et cette jeunesse d'aujourd'hui et de demain s'intéresse davantage aux sciences et à la technologie, que l'école française avait tendance à négliger au temps où l'éducation était un luxe pour quelques privilégiés. On prédit que le nombre total d'élèves et d'étudiants aura doublé au cours de la décade actuelle, et ils représentent d'ores et déjà un quart de la nation.

L'institution de l'enseignement public libre remonte à la Révolution française, et c'est Napoléon qui a créé l'organisation nécessaire pour mettre en pratique cette idée «révolutionnaire». Mais tandis que la structure de l'éducation nationale a changé très peu au cours d'un siècle et demi, la société a continué à évoluer. La France a passé successivement par l'industrialisation du 19e siècle, par des révolutions et des guerres, par l'expansion de son économie, l'acquisition d'un

grand empire colonial et sa perte ultérieure. Elle s'est transformée de monarchie en république, et de république en monarchie, pour redevenir une république. A travers tous ces changements, elle gardait inviolable son idéal pédagogique, qui
5 était celui d'une culture littéraire très poussée, accessible surtout à une petite élite, culture qui donnait accès aux charges publiques et aux honneurs intellectuels. En 1945, après la Libération, le désaccord entre l'école et la société d'après-guerre était devenu si évident qu'une réforme s'imposait. Cette ré-
10 forme a été appliquée par degrés; elle est loin d'être achevée, mais ses traits fondamentaux sont clairs.

Il s'agit d'adapter un des systèmes d'éducation les plus vénérables aux exigences d'une société industrielle sans sacrifier son excellence intellectuelle, d'élargir les bienfaits de l'enseigne-
15 ment démocratique sans le niveler.

Les réformateurs s'attaquent surtout à quatre caractéristiques traditionnelles de l'école française. Elle dépendra désormais moins qu'avant des autorités à Paris. Elle cherchera moins qu'avant à inculquer une culture exclusivement littéraire, et
20 fera une place plus large à l'enseignement technique et scientifique. Au lieu d'éliminer par des examens difficiles, à certains intervalles au cours de leur carrière scolaire, les candidats aux différents diplômes, on se propose maintenant d'observer méthodiquement chaque enfant, et de l'orienter vers des études
25 pour lesquelles il semble doué. Finalement, on éliminera la séparation rigide entre l'enseignement préparatoire aux études universitaires et celui, plus général, de la majorité des enfants; dans le passé, cette séparation limitait souvent l'éducation des paysans et des ouvriers industriels à l'école primaire, et forçait
30 les parents à prendre une décision concernant l'avenir de leurs enfants quand ceux-ci étaient encore très jeunes.

En somme, l'école française d'aujourd'hui se rapproche un peu de l'école américaine tout en sauvegardant ses valeurs intellectuelles traditionnelles. Elle reste attachée à la diversité des programmes scolaires au lieu de l'école unique[1] américaine, et au principe du contrôle central plutôt que local. Notons également que les écoles privées jouent un rôle minime, à l'exception des écoles catholiques primaires et secondaires, appelées écoles libres; l'état se réserve le droit de sanctionner par ses examens les études dans les écoles privées, et de délivrer des diplômes.

L'instruction publique est placée sous le contrôle du ministère de l'Éducation Nationale. Le mécanisme de l'administration scolaire sur l'échelle nationale assure une certaine centralisation et uniformité. Les programmes scolaires, les méthodes d'enseignement, même les livres scolaires sont les mêmes partout en France. On a dit par plaisanterie que le ministre de l'Éducation Nationale peut dire exactement quelle page et quelle ligne tous les écoliers de France sont en train de lire à un moment donné de la journée.

Le pays est divisé en vingt-trois districts appelés académies. A la tête de chaque académie il y a un recteur responsable de tout ce qui concerne l'instruction publique et privée dans sa division. Un inspecteur d'académie le représente dans chaque département. Dans vingt de ces académies il y a une université, située, en général, dans la ville principale. La plus célèbre de toutes ces universités est celle de Paris, la plus ancienne de l'Europe, fondée vers 1150. On appelle son bâtiment principal au Quartier Latin la Sorbonne, du nom du fondateur d'un collège de théologie, Robert de Sorbon, confesseur de Saint Louis, roi de France au 13e siècle. Son rayonnement et celui des autres établissements d'enseignement supérieur attirent vers Paris les trente-cinq pour cent de tous les étudiants du pays.

[1] **École unique** On désigne par ce terme le genre d'école qu'on trouve aux États-Unis, qui permet à tous les élèves, qu'ils se préparent à l'université ou non, de faire leurs études à la même école. L'exemple français montre qu'on les sépare assez tôt dans la plupart des pays européens.

La Sorbonne se trouve au Quartier Latin; c'est le bâtiment principal de l'université de Paris. (French Government Tourist Office, Beverly Hills)

L'université française a peu de ressemblance avec l'université américaine. Elle s'en distingue même par son aspect extérieur puisqu'il n'y a ni jardins ni terrains de sport autour des bâtiments austères. Elle se compose généralement de cinq facultés: lettres, sciences, droit, médecine et pharmacie. L'enseignement qui s'y donne correspond plutôt à celui qu'on offre dans une *graduate school,* car la culture générale s'acquiert en France à l'école secondaire. C'est dans les facultés des lettres et des sciences qu'on trouve la plus grande variété de titres universitaires. Au bout de trois ans, l'étudiant obtient sa licence ès lettres ou ès sciences, qui lui confère le privilège d'enseigner à une école secondaire, à l'exception des cours de la classe terminale. Pour pouvoir faire les cours de cette classe terminale ou les cours élémentaires à la faculté, il faut obtenir la maîtrise ou l'agrégation. Cette dernière est un concours—c'est-à-dire un examen qui sert à assigner les positions disponibles aux meilleurs candidats selon le résultat des épreuves. Ainsi, s'il y a une position libre dans une école de Paris, et une autre dans une école de province, le candidat qui obtient la meilleure note au concours obtient aussi la position dans la capitale. Les maîtres et les agrégés peuvent, s'ils le désirent, continuer leurs études pour se préparer au doctorat et à l'enseignement dans les facultés.

Comme le nombre de facultés est limité à cinq, l'enseignement supérieur se donne également dans les grandes écoles telles que l'École Normale Supérieure, qui forme les meilleurs professeurs; l'École Nationale d'Administration, par laquelle passent les futurs cadres des services gouvernementaux; l'École des Chartes, qui prépare des bibliothécaires et des spécialistes pour le déchiffrement d'anciennes écritures; l'École des Hautes Études Commerciales; le Conservatoire National des Arts et Métiers, où l'on se prépare à devenir ingénieur; l'École Nationale des Beaux-Arts; le Conservatoire National de Musique, et bien d'autres. Il y a, en tout, presque deux cent cinquante grandes écoles, dont la plupart se trouvent à Paris. Elles dispensent un enseignement très spécialisé et ne reçoivent qu'un nombre restreint de candidats. Ces candidats doivent prouver leurs qualifications supérieures dans un concours auquel on n'admet que les meilleurs élèves des lycées. Ils suivent, en plus, un cours préparatoire avant de se présenter au concours. Neuf candidats sur dix échouent, mais ceux qui sont reçus obtiennent une bourse généreuse qui leur permet de consacrer tout leur temps à leurs études. Ils occuperont un jour les positions les plus importantes dans l'administration, dans l'industrie et dans la vie intellectuelle. Pour être admis à l'université ou aux cours préparatoires des grandes écoles, il faut préalablement réussir à l'examen final du lycée. Il faut réussir la première fois qu'on se présente, et avec une note nettement au-dessus de la moyenne—c'est-à-dire entre dix et vingt, vingt étant la meilleure note. Cet examen, appelé baccalauréat, est probablement la phase la plus caractéristique du système scolaire français. Les élèves—qui, dans leur argot, l'appellent simplement le *bac,* ou le *bachot*—s'y présentent en juin après avoir terminé les cours de leur classe terminale; ceux qui échouent peuvent se présenter une seconde fois en septembre. C'est un véritable tournant dans la vie des jeunes gens et des jeunes filles. Depuis des mois on ne parle de rien d'autre ni à l'école ni à la maison, car tout le monde sait que les quarante pour cent des candidats échouent au bac. C'est un examen des plus difficiles qui décide de la carrière de ceux qui s'y préparent depuis sept ans.

Deux semaines avant la date fixée pour le bac, les cours de la classe terminale prennent fin et on renvoie les élèves chez eux. A la maison, chaque minute doit être consacrée à l'étude. Le candidat se lève tôt et se couche tard. On le ménage comme on peut; on marche sur la pointe des pieds pour ne pas faire de bruit; on évite de claquer les portes, et on empêche le chien d'aboyer et le chat de miauler. Enfin, le grand jour arrive. Les quatre épreuves écrites et les six épreuves orales durent deux semaines et portent sur toutes les matières étudiées durant les dernières trois années au lycée: français, langues classiques et modernes, histoire, mathématiques, sciences, philosophie. Au bout de quelques jours, les noms de ceux qui sont reçus sont affichés à la porte, et alors la joie des candidats heureux ne connaît pas de bornes. A Paris, dans le Quartier Latin, on organise des monômes, et des centaines d'étudiants marchent par les rues en file indienne, arrêtent la circulation, envahissent les terrasses des cafés et chantent en chœur leurs chansons irrévérencieuses. Les portes de toutes les universités de France et de toutes les grandes écoles leur sont alors ouvertes. La vie est belle! Quant à ceux dont le nom ne se trouve pas sur la liste affichée, cette liste fatale—hélas!

Les questions pour les épreuves du baccalauréat sont préparées par les autorités scolaires de l'académie. Elles se trouvent

Un lycée français se distingue d'une école américaine même par son aspect extérieur; les bâtiments du lycée Henri IV à Paris datent en partie du 13e siècle. (French Cultural Services, San Francisco)

dans une enveloppe scellée qu'on ouvre solennellement en présence des candidats assemblés, le jour de l'examen, au même moment dans toutes les écoles de France. Le contenu est inconnu même aux professeurs des élèves qui les ont préparés au baccalauréat pendant leurs études au lycée. La préparation au bachot est la tâche unique de cette école. 5

On y entre en classe de sixième, à l'âge de onze ans, et on y suit des cours pendant sept ans. Les classes supérieures, qui sont les plus importantes, s'appellent seconde, première et ter-

minale. Pendant ces dernières années, l'élève se spécialise, suivant ses goûts, en mathématiques, en sciences, en langues classiques ou en langues modernes, tout en continuant l'étude du français, de l'histoire et de certaines autres matières communes à toutes les sections. 5

Le lycée n'est pourtant pas le seul établissement d'enseignement secondaire, mais c'est le seul qui donne accès à l'université, car l'école unique telle que nous la connaissons aux États-Unis n'existe pas en France. L'élève peut aussi faire ses études secondaires dans un collège d'enseignement technique ou dans 10 un collège d'enseignement général, écoles moins exigeantes que le lycée. La grande majorité des élèves, surtout les enfants des familles paysannes et ouvrières, se contentent même de suivre pendant cinq ans, après avoir terminé l'école primaire, un cours général et pratique qui leur permet, à l'âge de seize ans, 15 de chercher du travail dans l'agriculture, l'artisanat ou l'industrie. C'est, en effet, à cet âge que la scolarité obligatoire prend fin. S'ils en ont l'ambition, ils peuvent alors se présenter à un examen au chef-lieu de leur arrondissement; s'ils sont reçus, ils obtiennent leur Diplôme de fin d'études obligatoires.[2] 20 Ce document est pour les petites gens le symbole même de la respectabilité. Dans son beau cadre, il a une place d'honneur parmi les vieilles photographies de famille qui ornent les murs du salon. C'est lui qui distingue son propriétaire de la grande masse de ceux qui ont quitté l'école le jour de leur seizième 25 anniversaire. C'est lui qui donne accès aux positions les plus

[2] **Diplôme d'études secondaires obligatoires** Ce diplôme remplace l'ancien Certificat d'études primaires (C.E.P.).

Le lycée de jeunes filles de Nîmes est une des écoles les plus modernes du pays. (Institut Pédagogique National—Pierre Allard)

modestes dans l'administration, dans les services publics et dans le commerce. Il faut l'avoir pour être facteur.

La préparation à l'enseignement secondaire est commune à tous les élèves; c'est l'enseignement élémentaire donné dans les 5 écoles primaires. La tâche principale de cette école, où l'enfant entre à l'âge de six ans, est d'enseigner le français, la lecture, l'écriture, le calcul, les devoirs civiques, l'histoire et la géographie. Mais on y apprend également le dessin, des notions scientifiques élémentaires, le chant et les travaux manuels. 10 L'éducation physique n'y manque pas. Et tout cela en cinq ans!

Un enseignement élémentaire commun à tous, et un enseignement secondaire commun à tous à certains égards, voilà des innovations très récentes. Encore récemment, on séparait, dès l'école élémentaire, les enfants qui se préparaient à entrer 15 un jour à l'université, et les élèves moins doués. La réforme de l'enseignement est loin d'être terminée, nous venons de le dire. S'il est théoriquement possible de passer d'un genre d'école à l'autre, le passage reste pourtant difficile. Il faut donc décider de la future carrière d'un enfant quand il est encore très jeune. 20 C'est la famille qui prend cette décision, et trop souvent elle dépend de considérations d'ordre économique et géographique plutôt que de l'aptitude de l'enfant. La réforme actuellement en cours cherche à remédier à cette situation, mais la tâche sera longue et difficile, car le respect du Français pour la recherche 25 intellectuelle mène à l'habitude de considérer l'éducation comme l'apanage naturel de la classe moyenne, comme la condition même de tout avancement social, et comme une marque indispensable de distinction. Le Français préfère les études littéraires, parfois un peu ésotériques, au travail scientifique ou 30 technique; il a tendance à mépriser le travail manuel. Il trouve naturel qu'à l'école les candidats moins doués soient éliminés périodiquement par des examens difficiles. Il se représente la société volontiers comme une sorte d'école où toute différence sociale se réduit à une différence entre différents programmes 35 scolaires, de façon que les bons élèves sont recompensés par des positions sociales respectées, tandis que les cancres cultivent les champs et travaillent dans les usines. De là, ce mot d'un critique facétieux qui prétendait que la nation française se divise en deux parties dont l'une passe son temps à faire subir des examens à l'autre. 5

La Vie Intellectuelle et Artistique

17

Le promeneur qui, en été 1964, passait par le jardin des Tuileries pouvait y voir des ouvriers occupés à dresser, parmi les douzaines d'œuvres plus traditionnelles qui ornent déjà ce parc, dix-huit statues de divers sculpteurs modernes. Ces dix-huit filles gracieuses à la silhouette contemporaine se joi- 5
gnaient ainsi, grâce à l'initiative heureuse du ministre des Affaires Culturelles, à leurs nombreuses sœurs de marbre ou de bronze d'un autre siècle.

La scène était caractéristique de ce qui se passe actuellement en France dans le domaine des arts, de la littérature, de la 10
musique, de l'activité intellectuelle. D'une part, on perpétue les traditions si riches et variées du passé; de l'autre, on encourage les jeunes et les mouvements modernes, de façon que la France nous apparaît souvent comme un pays à la fois très jeune et très vieux. Comme partout ailleurs, les masses popu- 15
laires accèdent, grâce à l'enseignement public, à la presse, à la radio et à la télévision, aux bienfaits de la culture et, comme ailleurs, cet élargissement de la consommation culturelle menace d'abaisser son niveau. Le gouvernement essaie de parer à ce danger en encourageant l'activité culturelle tout en se 20
gardant de la diriger. Son instrument principal dans cet effort est justement le ministère des Affaires Culturelles, sous l'autorité duquel se trouvent les musées de France, les théâtres sub-

ventionnés, et toute activité artistique et intellectuelle d'envergure nationale. A la tête de ce ministère se trouve actuellement André Malraux,[1] écrivain éminent.

Le gardien officiel le plus vénérable du patrimoine culturel 5 de la France est l'Institut de France. Sa coupole élégante s'élève juste en face du Louvre, sur la rive gauche de la Seine. L'Institut de France forme, ensemble avec le Collège de France, l'armature principale de l'activité intellectuelle. Mais, tandis que le Collège de France est uniquement un centre de recherches très 10 avancées et très spécialisées où des professeurs éminents enseignent leur spécialité, l'Institut de France ne dispense pas d'enseignement du tout. Les cinq académies qui le composent, dont trois datent du 17e siècle, sont des groupements d'érudits éminents. Les noms mêmes de l'Académie des Inscriptions— 15 c'est-à-dire des inscriptions paléographiques—et Belles Lettres, de l'Académie des Sciences, de l'Académie des Sciences Morales et Politiques, et de l'Académie des Beaux-Arts indiquent assez clairement dans quels domaines s'exerce l'activité de ces groupements. Ils dirigent les recherches, publient des ouvrages 20 de grande envergure et des périodiques savants, et décernent des prix littéraires et des bourses. La plus connue des cinq académies qui forment l'Institut de France est justement l'Académie Française, car ses membres, les quarante immortels, sont les gardiens de la langue, de ce trésor inestimable. Érudits, 25 savants, écrivains, poètes, hommes d'état, militaires, ils représentent l'élite de la nation; les détracteurs de l'Académie affirment pourtant que les hommes célèbres auxquels on a manqué d'offrir un fauteuil, comme Molière, constitueraient à eux-mêmes une assemblée plus digne de représenter la 30 France. Quoi qu'il en soit, le spectacle des quarante immortels dans leur habit vert richement brodé, avec leur cape, leur

1 **Malraux** André Malraux, né en 1901, est connu surtout par ses romans, dont *La Condition Humaine,* qui traite d'une insurrection communiste à Changhaï en 1927. Dans *Les Voix du Silence,* il étudie la création artistique et le rôle de l'art.

Le long de la Seine, des centaines de bouquinistes exposent leurs vieux livres. Notre-Dame se trouve de l'autre côté du fleuve. (French Government Tourist Office, Beverly Hills)

Les libraires attirent l'attention des passants par leurs étalages au milieu du trottoir. (French Cultural Services, San Francisco)

épée et leur bicorne, assemblés sous la coupole en séance publique pour écouter le discours de réception d'un nouveau membre, est un de ces événements qui passionnent le Tout-Paris, comme la présentation des nouveaux modèles d'un grand
5 couturier ou la première d'une pièce de Jean-Paul Sartre.[2]

Les domaines où l'activité intellectuelle se manifeste avec le plus d'intensité sont la littérature, le théâtre et la peinture.

A Paris, il semble y avoir des librairies un peu partout. Il y en a quatre mille en France, et elles vendent ou cherchent à
10 vendre cent soixante millions de volumes par an, dont les sept cent cinquante éditeurs de France, bon an, mal an, inondent le marché. Les soixante-deux pour cent des adultes lisent des livres d'une façon régulière, ce qui est bien au-dessus des trente-huit pour cent dont se vantent les États-Unis. Il paraît
15 que plus du quart de la population française lit au moins deux livres par mois, et la plupart les achètent sans doute, puisque les six pour cent de la population seulement fréquentent les bibliothèques, ce qui est bien moins que les vingt pour cent d'Américains qui en font autant. A côté du livre broché bon
20 marché, à la couverture grise, blanche ou jaune, qui existe en France depuis toujours, le livre de poche, qui attire l'attention par une couverture plus prétentieuse, a fait son apparition après la guerre. Il y a toujours foule devant les étalages des libraires placés au milieu du trottoir, surtout au Quartier
25 Latin avec ses écoles, et le long de la Seine, où des centaines de bouquinistes exposent leurs vieux livres dans des boîtes posées sur la balustrade du quai.

Certains livres, munis d'une bande annonçant que l'œuvre vient de recevoir un des trop nombreux prix littéraires, sont

[2] **Jean-Paul Sartre** Sartre, né en 1905, est le plus connu des existentialistes français. *L'Être et le Néant* contient sa contribution à la philosophie. Parmi ses romans, mentionnons *La Nausée;* parmi ses pièces de théâtre, *Huis Clos, Les Mains Sales* et *Les Mouches*. L'existentialisme est une doctrine philosophique qui insiste sur la liberté spirituelle et intellectuelle de l'homme, et sur son obligation de choisir sa destinée par ses actes.

Le livre français a une couverture grise, blanche ou jaune très simple, mais l'extérieur des livres de poche est plus prétentieux. Une bande annonce que l'œuvre vient de recevoir un prix.

toujours en demande. De là, la lutte acharnée, parfois peu honnête, que se livrent les éditeurs pour faire attribuer un prix à un de leurs auteurs; de là, ces intrigues, ces cancans, cette sensation artificielle qui précèdent l'attribution des grands prix. Celui qui a le plus de prestige est le Prix Goncourt,[3] qui est pourtant d'un montant absolument dérisoire. Il est décerné au meilleur roman de l'année par un groupe d'écrivains surnommé Académie Goncourt. Ceux-ci se réunissent à cet

[3] **Prix Goncourt** Ce célèbre prix littéraire perpétue la mémoire de Jules et Edmond de Goncourt, écrivains et critiques littéraires, qui ont contribué au triomphe de l'école naturaliste durant la seconde moitié du 19e siècle. L'aîné des deux frères, mort en 1896, a fondé par testament l'Académie Goncourt. Le montant du prix—cent francs.

effet pour un dîner solennel dans un restaurant parisien, qui est assiégé pendant quelques heures par les journalistes et les curieux qui attendent la décision.

Comme certains autres métiers qui tendent à se concentrer dans tel quartier de Paris, la plupart des sept cent cinquante éditeurs ont établi leurs bureaux dans le quartier Saint-Germain, autour de la vieille église romane de Saint-Germain-des-Prés, la plus ancienne de Paris. Ce quartier de l'édition française est un coin fort affairé avec ses nombreuses petites imprimeries et ses triporteurs. Ceux qui travaillent pour l'édition, écrivains, critiques, jeunes poètes, se retrouvent volontiers dans les cafés du quartier, comme le Café de Flore ou les Deux-Magots, en face de l'église. Après la guerre, c'était le quartier général des existentialistes, qui aimaient discuter les avantages du suicide réunis autour d'un apéritif sur la terrasse du café, ou écouter une chansonnière aux accents lugubres dans une des «caves», qui sont de curieuses boîtes de nuit souterraines.

Le Français aime passer ses heures de loisir à lire un livre. Mais il ne néglige pas non plus de s'approvisionner en périodiques à un kiosque à journaux pour ses parcours en autobus ou en métro, ou pour lui tenir compagnie pendant son déjeuner solitaire au restaurant; sans compter le journal du matin et celui du soir, qui sont de rigueur. Il y a en France cent cinquante quotidiens, mais la presse parisienne règne en souveraine même en province. La gamme va de *L'Humanité* communiste au *Figaro* conservateur, en passant par *Le Parisien Libéré, Paris-Jour, France-Soir, L'Aurore, Combat* et *Le Monde,* organe du gouvernement. Il y en a pour tous les goûts parmi les quotidiens, et encore plus parmi les périodiques; qu'on préfère *Les Temps Modernes,* revue littéraire fondée et dirigée par Jean-Paul Sartre; un journal de modes comme *Femmes d'Aujourd'hui;* le *Miroir des Sports;* un hebdomadaire somptueusement illustré comme *Paris-Match;* une revue politique amusante, pleine de verve et de satire, comme *Le Canard*

Le quartier autour de la vieille église romane de Saint-Germain-des-Prés est aujourd'hui en vogue parmi les intellectuels et les snobs. (French Government Tourist Office, Beverly Hills)

Enchaîné; les histoires d'amour sentimentales de la presse du cœur, comme celles de *Nous Deux;* ou les aventures de «cow-boy» que publie *Salut les Copains,* favori des enfants. Il y a plusieurs hebdomadaires du format des grands quotidiens consacrés exclusivement à la critique littéraire et artistique, 5 comme *Les Nouvelles Littéraires,* et il y en a même qui se limitent à la critique théâtrale, car le théâtre est la grande passion du Parisien.

La capitale possède environ cinquante-quatre scènes importantes, et ce n'est que depuis la guerre qu'on fait des efforts, avec un succès éclatant, d'ailleurs, pour décentraliser le théâtre en fondant des scènes de province à Rennes, à Strasbourg, à Lyon, à Toulouse. On organise des festivals d'été, comme ceux au Palais des Papes à Avignon et dans le théâtre romain d'Orange. On a même formé des groupes d'acteurs qui jouent dans des salles de la banlieue industrielle de Paris pour un public d'ouvriers qui, auparavant, vivaient dans un isolement culturel complet.

Parmi les scènes parisiennes, les théâtres subventionnés—et fort généreusement subventionnés—par le gouvernement tiennent le premier rang. Il y a tout d'abord la Comédie-Française —appelée aussi Théâtre Français—fondée et placée sous la direction de Molière par Louis XIV en 1680. Le «Français», la «Maison de Molière», le théâtre le plus ancien du monde, gardien d'une tradition unique, assure par des représentations impeccables de Corneille, Racine, Molière, Beaumarchais,[4] Marivaux,[5] des grands auteurs romantiques et modernes, la perpétuité de la tradition littéraire.

L'Odéon, ou Théâtre de France, dirigé par le grand acteur Jean-Louis Barrault, préfère les pièces contemporaines. Le Théâtre National Populaire, fondé par l'acteur Jean Vilar, joue dans la plus grande salle d'Europe, au Palais de Chaillot, à des prix minimes que tout le monde peut payer. Ajoutons à

[4] **Beaumarchais** Pierre-Augustin Caron de Beaumarchais, 1732–1799, est l'auteur du *Barbier de Séville* et du *Mariage de Figaro.* La verve de ses comédies continue la grande tradition établie par Molière au siècle précédent, mais son ironie et sa désillusion sont caractéristiques du siècle de la Révolution française.

[5] **Marivaux** Pierre de Marivaux, 1688–1763, est l'auteur de comédies gracieuses et frivoles dont le style élégant et poli, mais un peu superficiel, reflète parfaitement la vie de la noblesse au 18e siècle. Notons parmi ces comédies *Le Jeu de l'Amour et du Hasard* et *Les Fausses Confidences.*

Dans une des caves du quartier Saint-Germain, les jeunes écoutent une chansonnière aux accents lugubres. (French Government Tourist Office, San Francisco—Marton)

Ce café, au quartier Saint-Germain, était, après la guerre de 1939, le quartier général des existentialistes. (French Government Tourist Office, San Francisco)

Un Parisien s'approvisionne en journaux avant de prendre le métro pour aller à son bureau. (French Government Tourist Office, New York—Marton)

cette liste déjà imposante de théâtres subventionnés l'Opéra et l'Opéra Comique, ainsi que plusieurs scènes en province, et l'on comprendra que l'élève parisien, quand vient son jeudi libre, jour de congé pour toutes les écoles, n'a que l'embarras du choix entre les magnifiques matinées spéciales qui lui sont offertes par ces théâtres à des prix très bon marché. Quelle merveilleuse façon de supplémenter l'enseignement de la littérature!

En plus des théâtres subventionnés, il y a les théâtres dits «du boulevard», qui ne cherchent qu'à divertir leurs spectateurs. Il y a aussi les nombreux théâtres à prétentions lit-

Le grand escalier de l'Opéra pendant une soirée de gala. (French Government Tourist Office, San Francisco)

téraires, tels que le Vieux-Colombier, fondé par Jacques Copeau, et les scènes d'avant-garde où s'élabore l'art théâtral de demain. C'est Jacques Copeau, mort en 1950, qui était le grand animateur du théâtre moderne en France. Entre les deux
5 guerres, ses disciples, Charles Dullin, Louis Jouvet, Gaston Baty et Georges Pitoëff, ont formé ce qu'on appelait le Cartel pour rendre au théâtre, alors en pleine décadence, voué à l'esprit commercial, sa dignité artistique. La vitalité extraordinaire dont jouit le théâtre en ce moment est l'œuvre de ces
10 pionniers.

Le Français moyen s'intéresse moins à la peinture, ce qui n'empêche pas que le quartier Saint-Germain grouille de jeunes artistes, comme avant la guerre de 1939, Montparnasse,[6] et avant la guerre de 1914, Montmartre,[6] qui étaient alors les
15 quartiers en vogue. C'est dans les galéries privées et au Musée National d'Art Moderne qu'on admire les œuvres de ceux qui sont arrivés, des grands maîtres de l'école de Paris,[7] de Matisse,

[6] **Montparnasse-Montmartre** Certains quartiers autrefois élégants sont aujourd'hui des quartiers populaires. De la même façon, il y a des quartiers que les artistes, leurs modèles, et les badauds que la vie des artistes intrigue toujours, choisissent pendant quelque temps comme leur séjour préféré. Montmartre, choisi par les artistes parce que les loyers y étaient modestes, est aujourd'hui une attraction pour touristes avec son ambiance de petit village, ses rues tortueuses, ses moulins à vent abandonnés, et la masse blanche de l'église de style byzantin, le Sacré-Cœur, en haut de la colline. Les artistes ont déserté le quartier quand les touristes arrivaient. Le moulin où un homme d'affaires malin eut l'idée d'organiser des bals, connu sous le nom de «Moulin Rouge» et rendu célèbre par les affiches du peintre Toulouse-Lautrec, existe toujours. Montmartre est situé au nord, Montparnasse au sud de la Seine.

[7] **École de Paris** Ce terme un peu vague désigne les peintres qui ont travaillé à Paris depuis le temps de Cézanne. Henri Matisse, mort en 1954, était le chef des Fauves, appelés ainsi par un critique mécontent. Les Fauves, s'inspirant de Van Gogh, employaient des couleurs fortes et des formes simples pour produire un effet décoratif. Raoul Dufy, mort un an avant Matisse, appartenait au même groupe. Georges Braque, 1882–1963, était un cubiste—c'est-à-dire qu'il se proposait de donner à la réalité une interprétation géométrique. Marc Chagall, né en 1887, est un expressioniste pour qui chaque toile est une occasion d'exprimer l'intensité de son imagination exubérante. Georges Rouault, 1871–1958, était également un membre de l'école expressioniste, mais orienté vers l'expression religieuse. Pablo Picasso, né en 1881, est le plus original de tous; il appartient à toutes les écoles et il les a toutes abandonnées.

Avant la guerre de 1914, Montmartre était le quartier des peintres et de leurs modèles, mais les artistes sont partis quand les touristes arrivaient. Au bout de cette petite rue on voit l'église du Sacré-Cœur. (French Government Tourist Office, San Francisco—Jacques Boulas)

Il y a plus d'un demi-siècle, Pablo Picasso, George Braque, et d'autres grands maîtres alors inconnus, avaient leurs studios dans ce vieux batiment a Montmartre. (French Cultural Services, San Francisco)

Dufy, Braque, Chagall, Rouault, Picasso. Comme partout ailleurs, la peinture abstraite et la peinture figurative s'affrontent aussi à Paris, et la question passionne les esprits. On discute avec autant d'ardeur le mérite des habitations modernes
5 érigées par Le Corbusier,[8] comme la Cité Radieuse à Marseille,

[8] **Le Corbusier** Edouard Jeanneret, connu sous le nom de Le Corbusier, est mort en 1965. Il a consacré sa vie à la création d'un style d'habitation urbaine qui reflète l'esprit de notre siècle.

gratte-ciel blancs sur potences en béton entourés d'espaces verts.

La radio et la télévision sont profondément engagées dans la lutte pour la diffusion du patrimoine culturel. Les deux sont un monopole de l'état exercé par l'intermédiaire de la Radio- 5 Télévision Française (R.T.F.), véritable empire culturel avec ses dix mille employés, ses quatre chaînes de radio, ses deux chaînes de télévision, ses orchestres, ses théâtres,—que sais-je! Grâce à une taxe payée par ceux qui ont un poste de réception il n'y a pas de publicité commerciale. Le programme 10 cherche à satisfaire les goûts les plus variés et reflète fidèlement la vie intellectuelle du pays. On retransmet directement des représentations des scènes parisiennes et de l'Opéra, aussi bien que des concerts, et des conférences de la Sorbonne. On discute les livres nouveaux, on présente la gamme des opinions poli- 15 tiques, des interviews avec des personnalités célèbres, des informations, des émissions éducatives. Et pour ceux qui ne peuvent pas se passer de publicité commerciale ou de musique de jazz ininterrompue, il y a toujours les cinq postes privés qui se sont installés aux alentours de la France, au Luxem- 20 bourg, à Monaco, et ailleurs.

* * *

Le coup d'œil rapide et superficiel que nous venons de jeter sur la civilisation française ne permet en aucune façon de définir le génie de la France. Il nous manque encore l'analyse en profondeur; il nous manque aussi la précision, l'examen du 25 détail et la synthèse historique. Nous pouvons donc tout au plus noter, peut-être sans comprendre tout à fait, ce que les admirateurs et les détracteurs de la France ont dit d'elle.

«Tout homme a deux patries, la sienne et puis la France,» observe Jefferson. «Les Français ont l'air fou et sont sages,» 30

Avec la Cité Radieuse à Marseille, Le Corbusier a créé un nouveau style d'habitation humaine. (French Government Tourist Office, Beverly Hills)

remarque Charles-Quint. La France était «le plus beau royaume après celui des cieux» pour Grotius, Hollandais du 17e siècle et père du droit international. «Il n'y a qu'une culture, la culture française,» dit un Allemand, le philosophe Nietzsche.
5 D'autres parlent de cette même France avec irritation ou impatience. Les contradictions abondent et semblent nous inviter à une étude plus approfondie, car, de toute évidence, qu'on déteste la France ou qu'on l'adore, elle ne semble laisser indifférent personne.

Questionnaire

1. *Les Frontières*

1. Qu'est-ce que nous allons étudier dans ce livre?
2. Par quoi est-ce que nous commençons notre étude?
3. Est-ce que la géographie d'une région exerce une influence sur la mentalité de ses habitants?
4. Que forment les frontières de la France?
5. Quelle est la distance du nord au sud? de l'ouest à l'est?
6. Combien de temps le train met-il pour traverser la France?
7. Où se trouvent Dunkerque? Marseille? Brest? Strasbourg?
8. La France est-elle plus ou moins grande que la Californie?
9. Quelle est la longueur totale des frontières maritimes?
10. Qu'est-ce qui sépare la France de l'Angleterre?
11. A quelles mers la France a-t-elle accès?
12. Quelles montagnes séparent la France de l'Espagne? de l'Italie? de la Suisse?
13. Quel fleuve forme la frontière entre la France et l'Allemagne?
14. Quels sont les voisins de la France en Europe?

15. Est-ce que le Rhin, les Alpes et la Manche forment des frontières naturelles ou artificielles?
16. Quelle est la seule frontière artificielle de la France?
17. Quel est le problème stratégique prépondérant de la France?
18. Par où passent les invasions militaires et les échanges culturels?
19. Quel est le destin manifeste de la France suivant la doctrine mentionnée dans ce chapitre?
20. Suivant cette doctrine, qui a marqué sur la carte les frontières de la France?

2. *Les Montagnes*

1. Que symbolise l'hexagone magique?
2. Qu'est-ce qui donne à la France sa variété?
3. Qu'est-ce qui fait de la France une seconde Suisse? une seconde Espagne? une seconde Allemagne du Nord? une seconde Italie?
4. Quelles sont les chaînes de montagnes les plus élevées?
5. Quel est le point le plus élevé du continent?
6. Qu'est-ce qu'on a construit sous le Mont Blanc?
7. Quelles deux villes l'autostrade du Mont Blanc relie-t-elle?
8. Où se trouve Chamonix?
9. Où se trouve le terminus du grand téléférique?
10. Est-ce que les Alpes ou les Pyrénées ont des sommets plus élevés?
11. Est-ce que le Jura est une montagne très élevée?

12. Quelles sont les différences entre les montagnes jeunes et les montagnes de formation ancienne?
13. Quelles sont les montagnes jeunes en France? Quelles montagnes sont de formation plus ancienne?
14. Où se trouvent les Vosges? le Massif Armoricain? le Massif Central?
15. De quoi se compose le Massif Central?
16. Où est-ce que beaucoup de fleuves français ont leur source?
17. Quelle est l'étendue du Massif Central?
18. Comment s'appellent les plaines situées dans le nord et dans l'ouest de la France?
19. Quelle est la longueur de la vallée située entre les Alpes et le Massif Central?
20. Quelle est l'importance de cette vallée?

3. *Les Fleuves*

1. Y a-t-il des régions absolument sèches en France?
2. Quels sont les quatre fleuves principaux?
3. Où se trouve la source de la Seine? la source de la Loire?
4. Quelles provinces la Seine traverse-t-elle?
5. Quelles villes importantes sont situées sur la Seine?
6. Quel est le plus long des fleuves français?
7. Pourquoi la navigation sur la Loire est-elle difficile?
8. Quelle est la capitale de la Touraine?
9. Comment est-ce qu'on appelle la région entre Orléans et Tours?
10. Quelle est la grande attraction de la Touraine?

11. Qui étaient les constructeurs des châteaux de la vallée de la Loire?
12. Qu'est-ce que c'est la Gironde?
13. Où se trouve Bordeaux? Toulouse?
14. Quelle était, au Moyen Âge, l'importance de Toulouse?
15. Pourquoi le Rhône est-il important pour l'économie française?
16. Que savez-vous de Lyon?
17. Par quoi est-ce que les villes d'Arles, d'Avignon et de Nîmes sont importantes?
18. Qu'est-ce qu'on voit parfois en Camargue?
19. Pourquoi les fleuves français jouent-ils un rôle si important dans le transport de marchandises?
20. Comment est-il possible de traverser la France en bateau?
21. Qu'est-ce qu'on voit souvent à bord d'une péniche?
22. Quand la France a-t-elle commencé à construire des canaux?
23. Comment s'appelle le canal qui relie la Garonne à la Méditerranée?

4. *Le Climat et la Végétation*

1. Pourquoi la France a-t-elle un climat tempéré?
2. Quelle caractéristique est-ce que le Français considère comme le trait fondamental du génie français?
3. A quels facteurs est due la diversité du climat français?
4. Quelle est la différence entre le climat de Paris et celui du Canada?

5. Pourquoi est-ce que l'Europe a un climat plus doux que d'autres continents situés sur la même latitude?
6. Quelles zones climatiques distingue-t-on en France?
7. Dans quelle région règne le climat méditerranéen?
8. Comment sont les étés et les hivers dans la zone atlantique?
9. Pourquoi la Bretagne est-elle un pays vert?
10. En quoi est-ce que le climat océanique de l'ouest se distingue du climat continental de l'est?
11. Pourquoi est-ce que la température change parfois brusquement à Paris?
12. Quelle est la différence entre le climat de Strasbourg et celui de Paris?
13. A quelle élévation commencent les neiges éternelles dans les Alpes?
14. Pourquoi la Côte d'Azur est-elle le paradis des touristes?
15. Pourquoi les plages de la Côte d'Azur sont-elles si agréables?
16. Qu'est-ce qui attire les artistes et les amateurs de photographie sur la Côte d'Azur?
17. Qu'est-ce qui détermine la végétation?
18. Quels sont les arbres typiques de la zone méditerranéenne?
19. Quels sont les arbres principaux dans la zone atlantique?
20. Dans quelle région trouve-t-on des prairies vertes? des pommiers? du blé? des pâturages? le maquis? la vigne?
21. Pourquoi est-ce qu'on ne peut pas cultiver la vigne en Bretagne?
22. Quelles sont les spécialités gastronomiques de Strasbourg? de la Bretagne? du Périgord? de la Bourgogne?

5. *La Carte Gastronomique*

1. Que reflète la cuisine d'une province?
2. Pourquoi est-ce que le cidre est la boisson favorite en Normandie?
3. Pourquoi est-ce la coutume à Bordeaux de verser du vin dans la soupe?
4. Où se trouvent la plupart des restaurants pour gourmets?
5. Où peut-on trouver la cuisine typiquement française?
6. Qu'est-ce que la gastronomie?
7. Qui était Vatel?
8. Qui était Madame de Sévigné?
9. Pourquoi est-ce que le cuisinier se suicide?
10. Quel est le titre du livre de Brillat-Savarin?
11. Y a-t-il des magasins «self-service» à Paris?
12. Est-ce que la Française préfère les innovations modernes ou les procédés du bon vieux temps?
13. Combien de temps est-ce que la ménagère française passe à préparer les repas?
14. Est-ce qu'on vit pour manger?
15. Quelles civilisations apprécient surtout l'art de vivre agréablement?
16. Quels ingrédients caractérisent la cuisine provençale?
17. Quelle est la différence fondamentale entre la cuisine du nord et celle du Midi?
18. Que disent les gens de Marseille de la bouillabaisse?
19. Que produit la Normandie?
20. Qui a inventé le camembert?

21. Qu'est-ce que le pré-salé?
22. Quelles spécialités peut-on commander dans un restaurant de luxe en Bretagne? en Touraine? à Lyon? en Bourgogne?
23. Où se trouvent la Provence? la Normandie? la Bretagne? la Touraine? la Savoie? la Bourgogne? la Flandre? la Champagne? l'Alsace?

6. *Départements et Provinces*

1. Combien de départements y a-t-il en France?
2. Quelles sont les subdivisions du département?
3. Qui est à la tête de la commune?
4. Est-ce le maire ou le conseil municipal qui est élu directement par les électeurs?
5. Quelles sont les responsabilités de la commune?
6. Quels bureaux trouve-t-on au chef-lieu du canton?
7. Comment s'appelle le chef-lieu d'un département? d'un arrondissement?
8. Est-ce que le préfet et le sous-préfet sont élus ou nommés?
9. Qui assiste le préfet dans ses fonctions?
10. D'où viennent les noms des départements?
11. Quelles administrations se trouvent à Nice?
12. D'où et comment est-ce que les maires des communes reçoivent leurs ordres?
13. A quelle époque remonte la division de la France en départements?

14. Pourquoi est-ce qu'on voulait diviser la France en quatre-vingts carrés absolument identiques?
15. Dans quel pays a-t-on réalisé le projet rationaliste de tracer des frontières rectilignes?
16. Pourquoi est-ce qu'une division historique est préférable à une division rationelle dans un pays comme la France?
17. Que perpétuent les divisions administratives modernes?
18. Que représentent les provinces et que représentent les départements?
19. En quoi se distinguent les provinces les unes des autres?
20. Qu'est-ce qui fait le charme de la France?
21. Est-ce que les anciennes provinces sont encore, de nos jours, des divisions administratives?
22. De quoi résulte la personnalité distincte de chaque province?
23. Dans quelle province a commencé l'histoire de la France?
24. Qu'est-ce qui caractérise la Flandre et la Picardie? la Normandie? la Bretagne? la Touraine? la Champagne? l'Alsace et la Lorraine?
25. Où se trouve le Midi?
26. Qu'est-ce qui caractérise l'Auvergne? la Savoie? la Gascogne?
27. Qu'est-ce qui sépare la Provence du Languedoc?
28. D'où vient le nom de la Provence?
29. Comment est-ce qu'on appelait au Moyen Âge la langue du Midi?
30. Quelle est l'importance littéraire de la langue provençale?

7. *La Normandie*

1. De quelle époque date la partie la plus ancienne de la cathédrale de Bayeux?
2. Quels deux styles ont été employés pour la construction de la cathédrale de Bayeux?
3. Qui était la reine Mathilde?
4. Que représente la tapisserie de la reine Mathilde?
5. Qu'est-ce qui s'est passé à Bayeux en 1944?
6. Où se trouve le château de Guillaume le Conquérant?
7. Qu'est-ce qui a donné son nom à l'administration des finances en Angleterre?
8. Pourquoi avait-on besoin d'un échiquier pour les opérations d'arithmétique?
9. Quel peintre admirait beaucoup la cathédrale de Rouen?
10. Qu'est-ce qui s'est passé à Rouen en 1431?
11. Quels auteurs français sont nés à Rouen?
12. Quelles activités économiques caractérisent Caen? Rouen? Le Havre?
13. Qu'est-ce que Maupassant voulait dire par sa remarque citée dans ce chapitre?
14. Quelle est la réputation du Normand?
15. Qu'est-ce qu'une réponse normande?
16. Pourquoi est-ce que les Normands s'appellent ainsi?
17. Est-ce que le roi de France a cédé la Normandie librement?
18. Quand est-ce que les Normands sont partis à la conquête de l'Angleterre?
19. Quelle langue est-ce que les Normands parlaient au moment de la conquête de l'Angleterre?

20. Qui a réuni la Normandie au domaine royal des rois de France?

8. *La Bretagne*

1. Pourquoi les femmes décrites par Michelet sont-elles en prières?
2. Que veut dire Finistère?
3. Quelles sont les principales ressources économiques de la Bretagne?
4. Pourquoi est-ce que les traditions anciennes se sont maintenues longtemps en Bretagne?
5. Quelle est la réputation des Bretons?
6. D'où viennent les Bretons?
7. Quelle langue est-ce qu'on parle en Bretagne en plus du français?
8. Quelles traditions littéraires du Moyen Âge sont d'inspiration celtique?
9. Qu'est-ce qui favorise l'éclosion de légendes en Bretagne?
10. Pourquoi est-ce que le gouvernement exempte les habitants de l'île de Sein de tout payement d'impôts?
11. Quelles coutumes curieuses symbolisent l'existence précaire du pêcheur breton?
12. De quoi se compose le costume traditionnel de la Bretonne?
13. Que fait le prêtre au cours du pardon de Sainte Anne?
14. De quel port est parti Jacques Cartier?
15. Quels souvenirs historiques rattachent la Bretagne aux États-Unis?

16. A quoi ressemblent les monuments mégalithiques de Bretagne?
17. A quoi servaient les sites marqués par des menhirs?
18. Où peut-on trouver des calvaires?
19. Quelles deux religions est-ce que les menhirs d'une part et les calvaires de l'autre représentent?
20. Pourquoi est-ce qu'on peut dire que le calvaire de Plougastel est un musée en plein air?

9. *La Touraine*

1. Où est-ce qu'on parle le français le plus pur?
2. A quoi ressemble la Touraine?
3. Depuis quand est-ce que la Loire n'est plus la voie de communication la plus importante de la France?
4. Comment est-ce que la vallée de la Loire a pu garder son charme d'autrefois?
5. Qu'est-ce qui a permis à la Touraine de devenir un centre de tourisme?
6. Pourquoi est-ce que Tours était au Moyen Âge un lieu de pèlerinage renommé?
7. A quelle époque est-ce que Tours était particulièrement prospère?
8. Avec quel événement commence la décadence de Tours?
9. Qu'est-ce que l'Édit de Nantes, et qui l'a révoqué?
10. Quel rôle est-ce que Tours a joué dans la guerre de 1914?
11. Qu'est-ce qui a lieu, les soirs d'été, devant la cathédrale de Tours?

12. Qu'est-ce qu'on voit au cours d'un spectacle *Son et Lumière?*
13. Qu'est-ce qu'on voit parfois en se promenant dans les vignobles?
14. A quoi servent les cavernes de Touraine?
15. Qu'est-ce qui prouve qu'il y a beaucoup d'espace dans les caves?
16. Quels hommes célèbres sont nés en Touraine?
17. Combien de châteaux y a-t-il dans la vallée de la Loire?
18. Pourquoi est-ce que Charles Péguy préférait le château de Chinon à tous les autres?
19. Pourquoi est-ce que la maison au numéro 44 de la petite place de Chinon est intéressante?
20. Qu'est-ce qui reste du château de Chinon?
21. Qu'est-ce qui caractérise les châteaux féodaux?
22. Quelle influence se fait sentir dans la Renaissance française?
23. Comment est-ce que les châteaux de la Renaissance se distinguent des forteresses médiévales?
24. Quel artiste célèbre est enterré à Amboise?
25. Quel château représente le style Renaissance le plus pur?
26. Où mène l'escalier central de Chambord?
27. Qu'est-ce qu'on trouve sur la terrasse du château de Chambord?
28. Quel événement littéraire important s'est déroulé dans le château de Chambord?
29. Qu'est-ce qui fait l'originalité du château de Chenonceaux?
30. A quoi est-ce que les jardins du château de Villandry font penser?

10. *Le Midi*

1. Qu'est-ce qui distingue tout d'abord le Midi du Nord?
2. Par quel genre de végétation est-ce que le Midi s'annonce au sud de Lyon?
3. Qu'est-ce qui embaume l'air du Midi?
4. Quel bétail voit-on en Normandie? dans le Midi?
5. Qu'est-ce que le mistral?
6. Comment appelle-t-on les fermes du Midi?
7. Dans quel sens est-ce que le Méridional ressemble au mistral?
8. Quelle est la réputation du Méridional?
9. Pourquoi est-ce que le Méridional méprise les gens du nord?
10. Pourquoi est-ce que le Méridional passe des heures à préparer son plat favori?
11. Qu'est-ce qu'il faut pour préparer un cassoulet?
12. Selon Michelet, qu'est-ce qu'on trouve partout au Languedoc?
13. Comment est-ce que Châteaubriand appelait la ville d'Arles?
14. Quel monument romain trouve-t-on à Nîmes?
15. Qu'est-ce qui a lieu tous les étés dans le théâtre romain d'Orange?
16. Qu'est-ce qui prouve la solidité du Pont du Gard?
17. Qu'est-ce qui distingue les monuments médiévaux de Provence de ceux du reste de l'Europe?
18. Quel jour faut-il voir Carcassonne?
19. Pourquoi est-ce que Aigues-Mortes a perdu l'importance qu'il avait au Moyen Âge?

20. Quel est le monument le plus intéressant d'Avignon?
21. Quelle province est restée indépendante plus longtemps, la Provence ou le Languedoc?
22. Pourquoi est-ce que le pape a ordonné une croisade contre les Albigeois?
23. Quel a été le résultat de cette croisade?
24. Qu'est-ce qu'on peut voir de typique à Aix-en-Provence? en Camargue? dans la région d'Arles? à Saint-Gilles? à Toulon?
25. Que dit le Marseillais en parlant de la Canebière?

11. *Paris*

1. Qu'est-ce que le Français a coutume de dire au touriste?
2. Pourquoi faut-il voir Paris tout de même?
3. Qu'est-ce que les architectes cherchent à faire à Paris?
4. Quelle fraction de la population française habite Paris?
5. Pourquoi est-ce que Paris est si important pour la France?
6. Est-ce que l'itinéraire direct est toujours la route la plus rapide pour aller d'une ville de province à l'autre?
7. Quels contrastes frappants caractérisent la vie parisienne?
8. Pourquoi est-ce que Paris attire tant d'artistes?
9. Pourquoi est-ce curieux qu'on considère Picasso, Modigliani et Stravinsky comme des génies français?
10. Quels sont les clichés parisiens les plus évidents?
11. Que voit-on au milieu de la Place de la Concorde?
12. Pourquoi est-ce que la Place de la Concorde est le cauchemar du piéton?

13. Quel spectacle féerique est-ce que la Concorde offre le soir?
14. Qu'est-ce qui a remplacé la statue de Louis XV pendant la Révolution?
15. Pourquoi est-ce que les jeunes filles riches pensent souvent à la Madeleine?
16. Qu'est-ce qu'on voit sur les Grands Boulevards?
17. Qu'est-ce qui distingue la Rive Droite de la Rive Gauche?
18. Qu'est-ce qu'on trouve dans le Quartier Latin?
19. Où repose Napoléon?
20. Où se réunit l'Assemblée Nationale?
21. Qu'est-ce que le Louvre?
22. Vers quel monument monte l'Avenue des Champs-Élysées?
23. Où se trouve l'Arc de Triomphe?

12. *Le Paysan*

1. Qu'est-ce qu'on trouve sur la grand'place d'un village?
2. Qu'est-ce qui domine souvent le village français?
3. Quel est le cliché traditionnel du paysan français?
4. Qu'est-ce qui a donné à la France la réputation d'être un pays riche?
5. Qu'est-ce qu'il a fallu faire pour faire de la France un pays fertile?
6. Pourquoi est-ce que l'importance relative de l'agriculture dans l'économie nationale était un avantage pour la France en 1929?
7. Pourquoi est-ce que ce même facteur était un désavantage dans la guerre de 1939?

8. Qu'est-ce qui a rendu possible, après la guerre de 1939, la transformation économique de la France?
9. Qu'est-ce qu'on pouvait reprocher, avant la guerre, aux méthodes du paysan français?
10. Pourquoi est-ce que le gouvernement français ne peut plus protéger le paysan par une forte barrière douanière?
11. Quel était le résultat de l'occupation allemande?
12. Pourquoi n'y a-t-il plus de pénurie de vivres en France?
13. Comment se fait-il que le paysan français possède souvent plusieurs champs très petits, séparés les uns des autres?
14. Quel est le désavantage du démembrement des terres?
15. Qu'est-ce que le remembrement?
16. Pourquoi le remembrement est-il difficile à réaliser?
17. Pourquoi le niveau de vie du paysan est-il inférieur à celui des autres Français?
18. Que faisaient les paysans en grève?
19. Pourquoi est-ce que les jeunes préfèrent la vie dans la ville?
20. Comment est-ce que le gouvernement cherche à améliorer la situation du paysan?
21. D'où vient le désaccord entre prix agricoles et prix industriels?
22. Qu'est-ce que le dirigisme agricole?

13. *L'Industrie*

1. Est-ce l'agriculture ou l'industrie qui domine dans l'économie française?

2. A quoi est due la prospérité actuelle de l'industrie française?
3. De quelle date est le premier plan de développement industriel?
4. Comment s'explique la nécessité, pour le gouvernement, d'intervenir dans l'activité économique?
5. Qu'est-ce que c'est le secteur nationalisé?
6. Quels sont les monopoles d'état qui existent depuis longtemps en France?
7. Qu'est-ce que la nationalisation de certaines entreprises permet au gouvernement de faire?
8. Quel est le plus grand problème de l'industrie française?
9. Pourquoi est-ce que la révolution industrielle n'a pas tout de suite transformé la France en un pays industrialisé?
10. A quel rang dans le monde viennent les industries métallurgique et chimique françaises?
11. Pourquoi est-ce que la France favorise la production d'articles de luxe?
12. Quelles sont les spécialités typiqucmcnt françaises?
13. Quel contraste curieux caractérise l'industrie française?
14. Comment s'explique l'attitude paysanne de l'industriel français?
15. Qu'est-ce que le paternalisme?
16. Quel changement a eu lieu dans l'attitude de l'industriel français?
17. Pourquoi l'ouvrier français a-t-il abandonné sa méfiance de ceux qui gagnent gros?

18. Comment le gouvernement cherche-t-il à améliorer la situation de l'ouvrier qui ne gagne pas assez?
19. Pourquoi l'ouvrier français n'est-il plus en rébellion permanente contre la société?
20. Quels sont les avantages dont jouit l'ouvrier français sous le régime actuel?
21. Comment est-ce qu'un ouvrier qui gagne gros peut passer l'été avec sa famille?
22. Quel est le problème le plus urgent pour l'industrie française?
23. Quel engagement est-ce que les membres de la C.E.E. ont pris?
24. A quoi est-ce que la C.E.E. aboutira peut-être un jour?

14. *La Vie Politique*

LES ANTÉCÉDENTS

1. Quels deux événements marquent la fin de l'ancien régime?
2. Qu'est-ce que la Déclaration des droits de l'homme et du citoyen?
3. Quels événements ont mis fin à la Première République? à la Deuxième République? à la Troisième République?
4. Pourquoi est-ce que les Français s'inquiétaient de voir la Quatrième République ressembler tant à la troisième?
5. Qu'est-ce que la Quatrième République a accompli?
6. Qu'est-ce qui a amené la crise du 13 mai 1958?

7. Dans quels territoires est-ce que la France menait des campagnes militaires après la fin de la guerre de 1939?
8. Pourquoi est-ce que le problème colonial divisait le pays?
9. Quel était le but de l'insurrection de l'armée en 1958?
10. Pourquoi le prestige du général de Gaulle était-il si grand?
11. Qui était le maréchal Pétain?
12. De quoi est-ce que certains gens soupçonnaient le général de Gaulle?
13. Quelle alternative politique s'offrait alors au peuple français?
14. Sous quelle condition est-ce que de Gaulle a accepté la direction du gouvernement?
15. Avec quelle majorité est-ce que la Constitution de la Cinquième République a été adoptée?
16. Quelle décision du général de Gaulle a particulièrement surpris le peuple français?
17. En quoi est-ce que le nouveau régime se distingue de l'ancien?

14. *La Vie Politique*

LA CINQUIÈME RÉPUBLIQUE

1. Dans quel sens est-ce que la Cinquième République a changé les pouvoirs du président de la République?
2. Que représente le parlement dans la mentalité politique française?
3. Pourquoi les Français ont-ils tendance à se méfier des grands chefs militaires?

4. Comment choisit-on le président de la République? le premier ministre? les membres du cabinet?
5. Quelles sont les fonctions principales du président de la République?
6. Que dit le fameux article 16 de la Constitution actuelle?
7. Pourquoi est-ce que les gouvernements de la Cinquième République sont plus stables que ceux de la quatrième?
8. Comment s'appellent les deux chambres du parlement?
9. Comment est-ce qu'on choisit les sénateurs? les députés?
10. En quoi les départements d'outre-mer ressemblent-ils à la France métropolitaine?
11. Qu'est-ce que la Communauté?
12. Pourquoi appelle-t-on certaines républiques africaines «francophones»?
13. Dans quel sens peut-on dire que la France a joué un rôle honorable dans la décolonisation?
14. Quelle est la caractéristique la plus frappante de la vie politique en France?
15. Combien de partis politiques y a-t-il en France?
16. Quelles attitudes politiques représentaient les conservateurs et les libéraux du 19e siècle?
17. Quelle est l'origine des termes politiques *gauche* et *droite*?
18. Quelles factions sont représentées par la droite?
19. Quels sont les partis de gauche les plus anciens?
20. Pour quelles raisons est-ce que certains électeurs votent pour le parti communiste?
21. Qui est-ce que le parti radical-socialiste représente?
22. Qu'est-ce que le M.R.P.? l'U.N.R.?

23. Pourquoi est-ce que tout gouvernement français doit solliciter l'appui d'une coalition de partis différents?
24. Pourquoi est-ce que l'instabilité des gouvernements français n'est pas nécessairement un facteur inquiétant?
25. Où se réunit l'Assemblée Nationale? le Sénat?
26. Quelles sont les couleurs du drapeau français?
27. Quelle est la devise de la République?
28. Qu'est-ce que la «Marseillaise»? Qui l'a composée?

15. *La Langue*

1. Quelle est l'attitude du Français à l'égard des questions linguistiques?
2. Quel est le but primordial de l'enseignement dans les écoles françaises?
3. Comment est-ce que l'employeur français juge parfois de la valeur d'un candidat?
4. Pourquoi appelle-t-on la civilisation française une civilisation littéraire?
5. Par quelle œuvre littéraire a commencé la marche triomphale de la langue française?
6. Qui a fondé l'Académie Française, et quand?
7. Quel siècle représente l'apogée de la civilisation française?
8. Quel est le but de l'Académie Française?
9. Qu'est-ce qu'on reproche à l'Académie Française?
10. Quel problème de style préoccupe beaucoup les écrivains français?
11. Quel est le grand accomplissement de l'Académie Française?

12. Qu'est-ce que Rivarol et Anatole France affirmaient être la qualité principale du français?
13. Qu'est-ce qu'on veut dire en disant que le français était au 19e siècle la langue diplomatique?
14. Qu'est-ce qu'on veut dire en disant que le français est une langue de prestige?
15. Qu'est-ce qui contribue de nos jours principalement au rayonnement de la langue française dans le monde?
16. Où parle-t-on français?
17. Quelles autres langues et quels dialectes se parlent en France même?
18. De quelle langue dérive le français?
19. Comment s'appelle la forme du français qu'on parlait au Moyen Âge?
20. Quelles sont les langues romanes?
21. Pourquoi y a-t-il en anglais tant de mots d'origine française?
22. Quelle province a fourni à la France sa langue?
23. Pourquoi est-ce justement le francien qui est devenu la langue nationale?
24. Quelle est la différence entre un patois et un argot?
25. Qu'est-ce que les chansonniers d'une part, les professeurs de l'autre, pensent de l'argot?

16. *L'Enseignement*

1. Qu'est-ce qui a rendu nécessaire la réorientation de l'enseignement?

2. Pourquoi faut-il construire plus d'écoles et recruter plus de professeurs?
3. Qui a créé l'organisation scolaire française?
4. Quel est l'idéal pédagogique français?
5. Qu'est-ce qui a rendu inévitable, après la Libération, une réforme du système d'enseignement?
6. Quel problème difficile est-ce que cette réforme doit résoudre?
7. Quelles étaient, dans le passé, les quatre caractéristiques saillantes de l'école française?
8. Qu'est-ce qu'une école libre?
9. Qu'est-ce qui assure l'uniformité de l'enseignement en France?
10. Qu'est-ce qu'une académie? Qu'est-ce qu'un recteur d'académie?
11. D'où vient le nom de la Sorbonne?
12. Comment est-ce qu'une université française se distingue d'une université américaine dans son aspect extérieur?
13. Comment s'appellent les diverses facultés?
14. Comment est-ce que l'enseignement universitaire français se distingue de l'enseignement que dispense l'université américaine?
15. Quels sont les principaux titres universitaires?
16. Dans quels établissements autres que l'université se donne l'enseignement supérieur?
17. Qu'est-ce qu'il faut faire pour être admis à l'université ou à une grande école?

18. Combien de candidats échouent au bac?
19. Quelles précautions est-ce qu'on prend à la maison pour ménager l'élève qui se prépare au bachot?
20. Sur quelles matières portent les épreuves du baccalauréat?
21. Comment est-ce que les candidats savent qui a échoué et qui est reçu?
22. Qu'est-ce qu'on voit au Quartier Latin après la fin des examens?
23. Qui prépare les questions pour les épreuves du baccalauréat?
24. Quand est-ce qu'on ouvre l'enveloppe qui contient les questions?
25. Pendant combien d'années est-ce que l'élève assiste aux cours du lycée?
26. Quelle est la fonction unique du lycée?
27. Quels autres établissements d'enseignement secondaire y a-t-il à côté du lycée?
28. A quel âge est-ce que la scolarité obligatoire prend fin?
29. Qu'est-ce que le Diplôme d'études secondaires?
30. Pourquoi considère-t-on le Diplôme d'études secondaires comme le symbole même de la respectabilité?
31. Pourquoi faut-il décider de la carrière future d'un enfant quand celui-ci est encore très jeune?
32. De quels facteurs dépend la décision concernant la carrière de l'enfant?
33. Quelle est l'attitude du Français à l'égard de l'éducation?
34. Quelle est son attitude à l'égard du travail manuel?

35. Qu'est-ce qu'on a dit de la multiplicité des examens pour se moquer de cette prétendue manie des Français?

17. *La Vie Intellectuelle et Artistique*

1. Qu'est-ce que le promeneur pouvait voir en passant par le jardin des Tuileries?
2. Pourquoi est-ce que la France nous apparaît souvent comme un pays à la fois jeune et vieux?
3. Qu'est-ce qui permet aux masses populaires d'accéder aux bienfaits de la culture?
4. Quel danger résulte de l'élargissement de la consommation culturelle?
5. Quelles sont les attributions du ministère des Affaires Culturelles?
6. Quelle est la différence entre l'Institut de France et le Collège de France?
7. Combien d'académies composent l'Institut de France?
8. A quelles professions appartiennent les membres de l'Académie Française?
9. Qu'est-ce qu'on peut voir et entendre sous la coupole, un jour de séance publique?
10. Qu'est-ce qui prouve qu'on lit beaucoup en France?
11. Comment est-ce que le livre français se distingue, par son aspect extérieur, du livre américain?
12. Qu'est-ce qu'un bouquiniste?

13. Pourquoi est-ce que les éditeurs se disputent les prix littéraires?
14. Qu'est-ce que le Prix Goncourt?
15. Où irait-on, au quartier Saint-Germain, pour rencontrer des gens intéressants?
16. Où peut-on acheter un journal?
17. Quels sont les quotidiens les plus connus?
18. Quel périodique faut-il recommander à celui ou à celle qui s'intéresse à la littérature? qui cherche des renseignements sur la mode féminine? qui aime les sports? qui aime regarder les belles photographies? qui veut se moquer des politiciens? qui aime les histoires d'amour? qui est trop jeune pour la lecture sérieuse?
19. Quelle est la différence entre un quotidien et un hebdomadaire?
20. Quelle est la grande passion du Parisien?
21. Qu'est-ce qu'on fait pour décentraliser le théâtre?
22. Quel est le plus important des théâtres subventionnés?
23. Qui était le premier directeur de la Comédie-Française?
24. Que joue la Comédie-Française? Que joue l'Odéon?
25. Pourquoi est-ce que tout le monde peut se permettre d'aller voir une représentation du Théâtre National Populaire?
26. Comment est-ce que l'élève parisien passe très souvent son jeudi libre?
27. A quelle catégorie de théâtres appartient le Vieux-Colombier?
28. Quel était le but du Cartel?

29. Quelle question passionne actuellement ceux qui s'intéressent à la peinture?
30. Comment est financée la R.T.F.?
31. Comment est-ce que la radio française se distingue de la radio américaine?

Vocabulaire

The vocabulary does not list: (a) articles; (b) pronouns; (c) possessive, interrogative, and demonstrative adjectives; (d) regularly formed adverbs, if the adjective from which the adverb derives is listed; (e) very obvious cognates, unless they have different meanings in French and English. This general rule, however, has been disregarded in a few cases where past experience seemed to make clarification desirable.

All other words contained in the text have been listed; however, only those meanings which fit the context are given. Idiomatic phrases consisting of several words are cross-listed under all possible key words.

All nouns are followed by an indication of their gender. Verbs may be identified by the preposition *to* preceding the English translation. The feminine form of adjectives is given in parentheses if it is formed in any way other than through the addition of a silent *e*. Throughout the vocabulary list, practical usefulness is the criterion.

Irregular verb forms which might be difficult to identify are listed separately, and all verb forms appearing in the first four chapters have been included. The following list of abbreviations should be consulted for the interpretation of the symbols identifying the verb forms.

ABBREVIATIONS

cond.	conditional tense
f.	feminine
fut.	future tense
imp.	imperfect tense
m.	masculine
n.	noun
pl.	plural
p.p.	past participle
pres.	present tense
pres.part.	present participle
s.past	simple past

A

a *pres. of* **avoir**
abaisser to lower
abandonner to give up, abandon
abîme *m.* gulf
abolir to destroy, abolish
abondance *f.* abundance
abondant abundant; (*of river*) which carries much water; **être abondant** to be plentiful
abonder to be plentiful
abord *m.* access; **d'abord** at first; **tout d'abord** first of all
aborder to tackle
aboutir to lead to
aboyer to bark
abréger to abridge
abri *m.* shelter; **à l'abri de** secure from
abriter to shelter, house
absence *f.* lack
absolument absolutely
abstrait abstract
abuser de to abuse
académie *f.* academy; an educational district
accéder to gain access
accent *m.* tone of voice
acceptée *p.p. of* **accepter**
accepter to accept
accès *m.* access
accompagner to accompany
accomplir to accomplish
accomplissement *m.* accomplishment
accord *m.* agreement
accorder to grant
accroché clinging
accroissement *m.* increase
accuser to accuse
acharné desperate
achat *m.* purchase

acheter to buy
achever to complete
acier *m.* steel
acquérir to acquire
acteur *m.* actor
activité *f.* activity
actuel (*f.* **actuelle**) present
actuellement at present
adapter to adapt
admettre to admit
administrateur *m.* administrator
administratif (*f.* **administrative**) administrative
administration *f.* civil service
administrer to administer, administrate
admirateur *m.* admirer
admirer to admire
admis *p.p. of* **admettre**
adopter to adopt
adorer to worship
adorner to adorn
adresser to address
adversaire *m.* adversary
aérien (*f.* **aérienne**) of air; **compagnie aérienne** airline
aéroport *m.* airport
affaire *f.* business; **homme d'affaires** businessman
affairé busy
affiche *f.* poster
afficher to post
affinité *f.* affinity
affirmer to affirm
affluent *m.* tributary
affronter to face
Afrique *f.* Africa
s'agenouiller to kneel
s'agir to be in question; **il s'agit de** it is a matter of
agrégation *f.* competitive examination for teachers
agrégé *m.* one who has successfully passed the *agrégation*
agricole agricultural
aide *f.* help; **à l'aide de** with the help of; **venir en aide** to come to the help
aider to help
ail *m.* garlic
ailleurs elsewhere; **d'ailleurs** besides
aime *pres. of* **aimer**
aimer to like, love
aîné elder
ainsi thus; so; **ainsi que** as also; **il en est ainsi** this is also the case
air *m.* appearance; **avoir l'air** to seem
ajouter to add; **s'ajouter** to be added
alentours *m.pl.* vicinity
Algérie *f.* Algeria
algérien (*f.* **algérienne**) Algerian
alignement *m.* alignment
aligner to align
alimenté *p.p. of* **alimenter**
alimenter to feed
Allemagne *f.* Germany
allemand German
aller to go; **il va de soi** it is understood
allié *m.* allied
allocation *f.* allowance
allonger to lengthen
allons *pres. of* **aller**
allumette *f.* match
alors then
alouette *f.* lark
alsacien (*f.* **alsacienne**) Alsatian

ambassadeur *m.* ambassador
ambiance *f.* atmosphere
ambigu (*f.* **ambiguë**) ambiguous
ambitieux (*f.* **ambitieuse**) ambitious
améliorer to improve
aménager to lay out
amener to bring, bring on, bring about
américain American
ameublement *m.* furniture
ami *m.* friend
amour *m.* love
amusant amusing
amuser to amuse; **s'amuser** to amuse oneself
an *m.* year; **bon an, mal an** on a yearly average
analyse *f.* analysis
analytique analytical
ancien (*f.* **ancienne**) old; ancient; former
anglais English
Angleterre *f.* England
anguille *f.* eel
animateur *m.* moving spirit
animé spirited; lively
année *f.* year
anniversaire *m.* birthday
annoncer to announce; **s'annoncer** to be ushered in
antillais West Indian
antiquaire *m.* antique dealer
antiquité *f.* ancient times; antiquity
apanage *m.* prerogative
apercevoir to notice
apéritif *m.* drink before the meal
apogée *m.* heyday
apparaître to appear
apparence *f.* appearance
apparition *f.* appearance
appartenir to belong
appel *m.* appeal
appelée *p.p. of* **appeler**
appeler to call; **s'appeler** to be called
appelle, appellent *pres. of* **appeler**
application *f.* **entrer en application** to come into effect
appliquer to carry out; **s'appliquer à** to apply to
apporte *pres. of* **apporter**
apporter to bring, bring about
apprécié *p.p. of* **apprécier**
apprécier to appreciate
apprendre to learn
apprennent *pres. of* **apprendre**
approbation *f.* approval
s'approcher de to approach
approfondi thorough
s'approvisionner to lay in a supply
appui *m.* support
appuyer to support
après after; **d'après** (called) after
après-guerre *m.* postwar period
aqueduc *m.* aqueduct
arabe arabic
arbre *m.* tree
arc *m.* arch
archevêque *m.* archbishop
ardeur *f.* eagerness
arène *f.* arena
argent *m.* money
argot *m.* slang
arithmétique *f.* arithmetic
armature *f.* backbone
armée *f.* army
armer to arm
arrêter; s'arrêter to stop
arriver to arrive, reach, gain recognition; **arriver à** to succeed in; **en ar-**

river à to reach the point where
arrondi rounded
arrondissement *m.* subdivision of a *département*
arrosent *pres. of* **arroser**
arroser to water, moisten
artificiel (*f.* **artificielle**) artificial; synthetic
artisan *m.* craftsman
artisanat *m.* crafts
ascendant *m.* influence
Asie Mineure *f.* Asia Minor
aspirer à to strive after
assaisonner to season
assassinat *m.* murder
assassiner to murder
assemblée *f.* assembly; **assemblée constituante** constituent assembly
s'assembler to gather, assemble
assez rather; enough; quite
assiéger to besiege
assigner to assign
assistance publique *f.* welfare services
assister to assist; **assister à** to attend
assumer to assume
assurer to ensure, insure, manage, assure
attachement *m.* attachment
attacher to attach
attaquer to attack; **s'attaquer à** to tackle
attendre to wait for; **s'attendre à** to expect
attire *pres. of* **attirer**
attirer to attract
attribuer to attribute
attribution *f.* function; awarding
aucun none; no (*before noun*)
au-dessus de above
augmentation *f.* increase
augmenter to increase
aujourd'hui today
auparavant formerly
aura *fut. of* **avoir**
aurore *f.* dawn
aussi also; as; **aussi bien que** as well as
autant the same; as much
auteur *m.* author
auto *f.* automobile
autobus *m.* bus
autonomie *f.* autonomy
autoritaire authoritarian
autorité *f.* authority
autostrade *f.* expressway
autour de around
autre other
autrefois formerly; **d'autrefois** of long ago
Autriche *f.* Austria
autrichien (*f.* **autrichienne**) Austrian
aval *m.* lower part of stream; **en aval** downstream
avancement *m.* advancement
avancer to advance, move on
avant before; **en avant** forward; **avant Jésus-Christ** B.C.
avant-garde *f.* vanguard; experimental (*as an adjective*)
avantage *m.* advantage
avare miserly
avec with
avenir *m.* future
aventure *f.* adventure
aventurier *m.* adventurer
avoir to have; **avoir lieu** to take place; **il y a** there is, there are; **il y a** ago; **il y en a** there are some

B

baccalauréat *m.* (*abbreviated* **bac, bachot**) secondary-school leaving certificate
badaud *m.* idle stroller
baie *f.* bay
bal *m.* dance
balcon *m.* balcony
banc de sable *m.* sandbank
bande *f.* wrapper
banditisme *m.* banditry
banlieue *f.* outskirts
banque *f.* bank
Barbe-Bleue *m.* Bluebeard
barbier *m.* barber
barrage *m.* power dam
barrer to block
barrière *f.* barrier
base *f.* basis; **de base** basic
baser to base
bataille *f.* battle
bateau *m.* ship; **bateau à vapeur** steamship
bâtiment *m.* building
batteuse *f.* threshing machine
beau (*f.* **belle**) beautiful; **la Belle au bois dormant** Sleeping Beauty; **beaux-arts** fine arts
beaucoup much; many
beauté *f.* beauty
beffroi *m.* belfry
Belgique *f.* Belgium
bénédiction *f.* blessing
bénéfice *m.* benefit
bénéficier de to take advantage from
besoin *m.* need; want; **avoir besoin de** to need
bétail *m.* livestock
bête *f.* animal
béton *m.* concrete
beurre *m.* butter
bibelot *m.* knickknack
bibliothécaire *m.* librarian
bibliothèque *f.* library
bicorne *m.* two-pointed hat
bien well; much; many; very; quite; **bien que** although; **bien à lui** all its own; **bien-aimé** beloved
bien-être *m.* well-being
bienfait *m.* benefit
bientôt soon
bière *f.* beer
bijou *m.* jewel
billet de banque *m.* banknote
blanc (*f.* **blanche**) white
blé *m.* wheat
bleu blue
bloc *m.* block
blottir to huddle
boire to drink
bois *m.* wood
boisson *f.* drink
boîte *f.* box; **boîte de nuit** night club
bol *m.* bowl
bombardement *m.* bombing
bon (*f.* **bonne**) good; nice; **bon an, mal an** on a yearly average
bord *m.* bank (*of a river*); **à bord** aboard
bordé lined; bordered
bornes *f.pl.* bounds
bouillabaisse *f.* Provençal fish soup
boules *f.pl.* Provençal bowling game
boulevard *m.* wide city street; **Grands Boulevards** circular street in Paris
bouquet *m.* aroma
bouquiniste *m.* seller of secondhand books
bourgeois *m.* commoner; **Le Bourgeois Gentilhomme** *The Would-*

Be Gentleman
bourgeoisie *f.* middle class; **petite bourgeoisie** lower middle class
Bourgogne *f.* Burgundy
bourreau *m.* hangman
bourse *f.* scholarship; stock exchange
bout *m.* end; tip; **au bout de** after
boutique *f.* shop
boutonné reserved
bras *m.* arm; **en bras de chemise** in shirt sleeves
Brésil *m.* Brazil
breton (*f.* **bretonne**) Breton; of Brittany
brigade *f.* detachment
brillant brilliant
briller to glitter
brisé broken
britannique British
broché paper-bound
broder to embroider
broderie f. embroidery
brouillard *m.* fog
bruit *m.* noise
brûlée *p.p. of* **brûler**
brûler to burn
brumeux (*f.* **brumeuse**) foggy
brusque abrupt
buis *m.* box tree
bureau *m.* office
but *m.* purpose
but *s. past of* **boire**

C

ça et là here and there
cacher to hide
cadavre *m.* dead body
cadeau *m.* gift
cadre *m.* frame; **cadres** *pl.* leaders
cahiers *m.pl.* review
calcul *m.* calculation; arithmetic
calquer to copy
calvaire *m.* wayside cross
Cambodge *m.* Cambodia
camion *m.* truck
campagne *f.* countryside; campaign
canadien (*f.* **canadienne**) Canadian
canard *m.* duck
cancan *m.* gossip
cancre *m.* dunce
canot *m.* boat
canton *m.* subdivision of an *arrondissement*
caoutchouc *m.* rubber
caprice *m.* whim
car for
caractère *m.* characteristic, character
caractériser to characterize
caractéristique characteristic
caractéristique *f.* salient feature
caravelle *f.* swift sailboat of small tonnage
carré *m.* square
carrefour *m.* crossroad
carrière *f.* career
carte *f.* map
cartel *m.* coalition; challenge
cas *m.* case; **en tous cas** in any case
casserole *f.* saucepan
cassoulet *m.* kind of stew
cauchemar *m.* nightmare
cause *f.* **à cause de** because of
causer to cause
cavalier *m.* horseman
cave *f.* basement night club; **cave à vins** wine cellar
caverne *f.* cave
céder to cede
célèbre famous
célébrer to celebrate; **célébrer des funérailles** to hold a funeral

celui, celle, ceux, celles the one; the ones; those; **celui-ci** the latter; **celui de** that of
Cendrillon *f.* Cinderella
cent one hundred; **pour cent** per cent
centaines *f. pl.* hundreds
cependant however
cercle *m.* circle
cérémonie *f.* ceremony
certains *pl.* some
cerveau *m.* brain
cesse *f.* ceasing; **sans cesse** constantly
cesser to stop
chacun each
chaîne *f.* chain
chair *f.* meat
chambre *f.* house of parliament; **chambre basse** lower house
champ *m.* field
champignon *m.* mushroom
champignonnière *f.* mushroom bed
chance *f.* **avoir de la chance** to be lucky
changement *m.* change
changer to change
chanson *f.* song
chansonnier *m.* (*f.* **chansonnière**) night club singer
chant *m.* song; singing
chanter to sing
chantier naval *m.* shipyard
chapelle *f.* chapel
chaperon *m.* hood; **le petit Chaperon rouge** Little Red Riding Hood
chapiteau *m.* cornice
chapitre *m.* chapter
chaque each; every
charbon *m.* coal
charbonnage *m.* coal field
charge *f.* burden; **charge publique** public office
charge *pres. of* **charger**
charger to entrust with a task; **se charger de** to become enriched with
charmant charming
charrette *f.* cart
charrue *f.* plow
charte *f.* charter; ancient document; **École des Chartes** School of Palaeography
chasse *f.* hunt
chat *m.* cat; **le Chat botté** Puss-in-Boots
châtaignier *m.* chestnut tree
château *m.* castle
chaud hot
chauffer to heat
chaume *m.* thatch; **toit de chaume** thatched roof
chef *m.* leader; head; **chef-d'œuvre** masterpiece; **chef-lieu** chief city
chemin *m.* path; **chemin de fer** railroad
cheminée *f.* chimney; fireplace
chemise *f.* shirt; **en bras de chemise** in shirt sleeves
chêne *m.* oak tree
cher (*f.* **chère**) expensive; dear; **la vie chère** high cost of living
chercher to look for; **chercher à** to try to
chère *f.* **faire bonne chère** to eat sumptuously
cheval *m.* horse; **à cheval** on horseback
chevalier *m.* knight
chèvre *f.* goat
chien *m.* dog
chiffre *m.* numeral; figure

chimique chemical
Chine *f.* China
chinois Chinese
chœur *m.* chorus
choisir to choose
choix *m.* choice
chômage *m.* unemployment
choquer to shock
chose *f.* thing; matter
choucroute *f.* sauerkraut
chrétien (*f.* **chrétienne**) Christian
christianiser to Christianize
christianisme *m.* Christianity
ciel *m.* sky; **cieux** *m. pl.* heaven
cime *f.* summit
cimetière *f.* cemetery
cinéaste *m.* film maker
cinq five
cinquante fifty
cinquième fifth
circulaire circular
circulation *f.* traffic; **voie de circulation** line of communication
cité *f.* city; ancient territorial division of Gaul
citer to quote
citoyen *m.* citizen
citronnier *m.* lemon tree
clair clear
claquer to slam
clarté *f.* clearness; lucidity
se classer to rank
classique classical
clocher *m.* bell tower; **vivre à l'heure de son clocher** to know nothing of the world
clocheton *m.* little steeple
cloître *m.* cloister
codifier to lay down
cœur *m.* heart; **presse du cœur** pulp magazines
coiffe *f.* headdress
coin *m.* corner
coïncider to coincide
col *m.* mountain pass
colline *f.* hill
colon *m.* settler
colonie *f.* colony
colonne *f.* column
combat *m.* fight
combattre to oppose
comédie *f.* comedy
commandant en chef *m.* commander-in-chief
commandement *m.* command
commander to order
comme how; as; like; since
commémorer to commemorate
commence *pres. of* **commencer**
commencement *m.* beginning
commencer to begin; **à commencer par** and first of all
commençons *pres. of* **commencer**
comment how
commerçant *m.* businessman
commettre to commit
commis *p.p. of* **commettre**
commode convenient
commun common
communauté *f.* community
commune *f.* community
communiquer to communicate
compagnie *f.* company; **compagnie aérienne** airline
comparer to compare
comparons *pres. of* **comparer**
compiler to compile
complément *m.* object
compliqué complicated
composer to make up, compose; **se composer de** to consist of
compositeur *m.* composer

comprenant *pres. part. of* **comprendre**
comprend *pres. of* **comprendre**
comprendre to comprise, understand; **comprenant** which comprises
compris *p.p. of* **comprendre**
se compromettre to compromise oneself
compte *m.* account; **tenir compte de** to take into account
compter to number, plan; **sans compter** not to mention
comte *m.* count
concentrer to concentrate
concerner to concern; **en ce qui concerne** as for
conclu *p.p. of* **conclure**
conclure to conclude
concours *m.* competitive examination
concurrencer to compete with
condamner to sentence
conférence *f.* lecture
conférer to confer
confesseur *m.* father-confessor
confins *m. pl.* borders; edge
conflit *m.* conflict
confluent *m.* junction of rivers
conforme à in accordance with
confort *m.* comfort
confronter to face
congé *m.* holiday
connaissons *pres. of* **connaître**
connaître to know; to be acquainted with
connu *p.p. of* **connaître** known; well-known
conquérant *m.* conqueror
conquérir to conquer
conquête *f.* conquest
conquis *p.p. of* **conquérir**
consacrer to devote; **consacré** time-honored
conseil *m.* council; **conseil municipal** city council; **conseil des ministres** cabinet; **conseil général** council of a *département*
conséquent consequent; **par conséquent** consequently
conservateur (*f.* **conservatrice**) conservative
conservatoire *m.* conservatory
conserver to preserve
considèrent *pres. of* **considérer**
considérer to consider
consommation *f.* eating; consumption
consommer to consume
conspiration *f.* conspiracy
constituant constituent
constitue *pres. of* **constituer**
constituer to constitute
constitutionnel (*f.* **constitutionnelle**) constitutional
constructeur *m.* builder
construire to build
construit *p.p. of* **construire**
consulter to consult
conte *m.* tale; **conte de fées** fairy tale; **Contes de ma Mère l'Oye** *Mother Goose Tales*
contempler to contemplate
contemporain modern; contemporary
contenir to contain
se contenter de to be satisfied with
contenu *m.* contents
contient *pres. of* **contenir**
contigu (*f.* **contiguë**) adjoining
continuer to continue

continuité *f.* continuity
continuons *pres. of* **continuer**
contraire contrary; **au contraire** on the contrary
contraste *m.* contrast
contraster to contrast
contre against; **par contre** on the other hand
contrée *f.* country
contribuer to contribute
contrôler to control
converger to converge
coopérer to cooperate
copain *m.* pal
correspondance *f.* correspondence
correspondre to correspond
Corse *f.* Corsica
corselet *m.* bodice
cosmopolite cosmopolitan
côte *f.* coast; **Côte d'Azur** Riviera
côté *m.* side; **à côté de** beside; **du côté** on the side
coton *m.* cotton
se coucher to go to bed
coude *m.* bend
coule, coulent *pres. of* **couler**
couler to flow
couleur *f.* color
coup *m.* blow; **coup de bière** sip of beer; **coup d'état** violent overthrow of the government; **coup d'œil** glance; **tout d'un coup** all at once
couper to cut
coupole *f.* cupola
cour *f.* (*royal*) court; court of law
courant *m.* current
couronne *f.* crown; wreath
cours *m.* course; **cours d'eau** waterway; **au cours de** in the course of; **en cours** under way
court short
coût de la vie *m.* cost of living
coûter to cost
coûteux (*f.* **coûteuse**) costly
coutume *f.* custom
couture *f.* needlework
couturier *m.* dressmaker
couvert *p.p. of* **couvrir**
couverture *f.* cover; book cover
couvre *pres. of* **couvrir**
couvrir to cover
craie *f.* chalk
créateur *m.* creator
créer to create
crête *f.* ridge
creuser to hollow out
crise *f.* crisis; **crise économique** economic depression
critique *f.* criticism; **faire la critique de** to criticize
critique *m.* critic
croire to believe
croisade *f.* crusade
croix *f.* cross
croyait *imp. of* **croire**
cruauté *f.* cruelty
cuillerée *f.* spoonful
cuire to cook
cuisine *f.* art of cooking
cuisinier *m.* (*f.* **cuisinière**) cook
cuit *p.p. of* **cuire**
culinaire culinary
cultivateur *m.* farmer
cultive *pres. of* **cultiver**
cultiver to till, farm, grow; **cultivé** educated
culture *f.* growing
culturel (*f.* **culturelle**) cultural
curieux (*f.* **curieuse**) strange

curiosité *f.* curiosity
cyprès *m.* cypress

D

dame *f.* lady
dangereux (*f.* **dangereuse**) dangerous
dans in; into
danse *f.* dance
danser to dance
date *pres. of* **dater**
dater to date
Dauphine *f.* name of a French automobile
davantage more
débarquement *m.* landing
débarquent *pres. of* **débarquer**
débarquer to land
déboucher to pour, run into
début *m.* beginning
deçà on this side; **en deçà de** on this side of
décentraliser to decentralize
décerner to award
déchiffrement *m.* deciphering
décider to decide; **décider de** to determine to
déclarer to declare
décor *m.* decoration
décorer to decorate
découler to follow from
découvert *p.p. of* **découvrir**
découvrir to discover
décrire to describe
défaite *f.* defeat
défier to defy
définir to define
dégâts *m. pl.* damage
degré *m.* degree; **par degrés** gradually
déguiser to disguise
dehors outside; **en dehors de** apart from
déjà already
déjeuner *m.* lunch
delà beyond; **au-delà de** on the other side of
délicieux (*f.* **délicieuse**) delicious
délivrer to issue
demain tomorrow
demander to demand, ask for
démembrement *m.* breaking up
demeure *f.* dwelling
demeurer to live
demi half
démission *f.* resignation
démocratie *f.* democracy
dentelle *f.* lace
départ *m.* departure
département *m.* territorial division
dépasser to go beyond
dépendre to be under the control, depend
dépenser to spend
dépeuplement *m.* depopulation
dépister to spot
depuis since
député *m.* deputy
dérisoire ridiculous
dériver to derive
dernier (*f.* **dernière**) last; latter; **en dernier ressort** in the last resort
se dérouler to take place
derrière behind
dès from; as early as; from the moment of; **dès lors** from then on
désaccord *m.* discordance
désappointé disappointed
désavantage *m.* disadvantage
descendre to come down, go down
déséquilibre *m.* lack of balance

déserter to desert
désespoir *m.* despair
déshonorer to dishonor
désigner to designate
désillusion *f.* disillusionment
désirer to wish
désormais from now on; from then on
dessécher to dry out
dessin *m.* drawing
dessus over; **au-dessus de** above
destin *m.* destiny
destinée *f.* destiny
destiner to intend
se détacher to stand out
détenir to hold
détermine *pres. of* **déterminer**
déterminé *p.p. of* **déterminer**
déterminer to determine
détester to detest
détracteur *m.* critic
détruire to destroy
détruit *p.p. of* **détruire**
deuil *m.* mourning
deux two
deuxième second
devant before; in front of
dévaster to devastate
développement *m.* development
se développer to develop
devenir to become
devenu *p.p. of* **devenir**
devient *pres. of* **devenir**
devint *s. past of* **devenir**
devise *f.* motto
devoir *m.* task; duty
devoir to have to, must, owe; **dû à** owing to; **doit** is to; **devait** was expected to
dictature *f.* dictatorship
dictionnaire *m.* dictionary
dieu *m.* God
différencier to differentiate
différend *m.* disagreement
différer to differ
difficile difficult
difficulté *f.* difficulty
diffusion *f.* spreading
digne worthy
dignité *f.* dignity
dimanche *m.* Sunday
diminuer to shrink
dîner *m.* dinner
diplôme *m.* diploma
dire to say, tell; **vouloir dire** to mean; **dit** (*so*-)called
diriger to direct
dirigisme *m.* economic state planning
disait *imp. of* **dire**
discours *m.* speech
discuter to discuss
disent *pres. of* **dire**
disparaissent *pres. of* **disparaître**
disparaître to disappear
disparu *p.p. of* **disparaître**
dispenser to offer (*courses of study*)
disperser to disperse
disponible available
disposition *f.* disposal; layout; **mettre à la disposition de** to put at the disposal of
se disputer to fight for
dissoudre to dissolve
distinguer to distinguish; **se distinguer** to be outstanding; to be different
distinguons *pres. of* **distinguer**
dit *pres. or p.p. of* **dire** (*so*-)called
diversité *f.* diversity
divertir to amuse
divise *pres. of* **diviser**

diviser to divide; **se diviser** to be divided
dix ten
dix-huit eighteen
doigt *m.* finger
doit, doivent *pres. of* **devoir**
dominer to overlook, dominate
donc then; therefore
donjon *m.* lookout tower of a castle
donne, donnent *pres. of* **donner**
donner to give; **donner passage** to let pass; **étant donné** in view of
dont whose; of which; including
dot *f.* dowry
douanier (*f.* **douanière**) customs
doublent *pres. of* **doubler**
doubler to double, run parallel to
douceur *f.* sweetness; **la douceur de vivre** sweet things of life
doué gifted
doute *f.* doubt
douter de to doubt
doux (*f.* **douce**) mild; gentle
douzaine *f.* dozen
douze twelve
douzième twelfth
drainent *pres. of* **drainer**
drainer to drain
drapeau *m.* flag
dresser to set up, train; **se dresser** to rise
dressés *p.p. of* **dresser**
droit *m.* right; law
droit straight; right
droite *f.* political conservatives
dû (*f.* **due**) *p.p. of* **devoir**
dur hard
durant during
durent *pres. of* **durer**
durer to last
dut *s. past of* **devoir**
dynastie *f.* dynasty

E

eau *f.* water
éblouissant dazzling
écart *m.* variation
échange *m.* exchange; **en échange** in return
échapper to escape
échelle *f.* scale
échiquier *m.* chessboard; Exchequer
échouer to fail
éclatant brilliant
éclater to break out
éclosion *f.* rise; birth
école *f.* school; **grande école** professional school; **école normale** teachers' training college
écolier *m.* pupil
économe thrifty
économie *f.* economy
écouter to listen to
écrire to write
écrit *p.p. of* **écrire**
écriture *f.* script; writing
écrivain *m.* writer
écueil *m.* rock
écume *f.* foam
édifice *m.* building
édit *m.* edict
éditeur *m.* publisher
édition *f.* publishing
éducatif (*f.* **éducative**) educational
effarer to startle
effet *m.* effect; **à cet effet** for this purpose; **en effet** as a matter of fact; indeed
égal equal
également also
égaler to equal

égaliser to equalize
égalité *f.* equality
égard *m.* respect; **à l'égard de** with regard to
église *f.* church
élaborer to map out
élargir to broaden
élargissement *m.* broadening
électeur *m.* voter
électricité *f.* electricity
élémentaire elementary
élève *m.* pupil
élever to raise; **s'élever** to rise; **élevé** high
éliminer to eliminate
élire to elect
élite *f.* choice part; **troupe d'élite** crack troops
élu *p.p. of* **élire**
embarcation *f.* sailing craft
s'embarquer to go aboard
embarras *m.* difficulty; **n'avoir que l'embarras du choix** to have only too much to choose from
embaumer to scent
embouchure *f.* mouth of a river
embouteillage *m.* traffic jam
embraser to set ablaze
émerveiller to fill with wonder; **s'émerveiller** to be amazed
émission *f.* broadcast; issuing
emmener to take
empêcher to prevent; **ce qui n'empêche pas que** in spite of which
empereur *m.* emperor
emplacement *m.* site
emploi *m.* job
employé *m.* employee
employer to use
employeur *m.* employer
emprunter to borrow
encadrer to frame
enceinte pregnant
enchaîner to chain; **Le Canard Enchaîné** name of a periodical
enchanter to charm
enclavé wedged in
encore still
encourager to encourage
s'endormir to go to sleep
endroit *m.* spot
énergie *f.* power
enfant *m.* child
enfin finally
engagement *m.* obligation
s'engager à to pledge to, engage
engloutir to swallow up
engraisser to fatten
engraissés *p.p. of* **engraisser**
enjamber to straddle over
s'enliser to get bogged down
ennemi *m.* enemy
énorme enormous
enseignement *m.* education; teaching
enseigner to teach
ensemble *m.* whole; set
ensemble together
ensuite then
entasser to pile up
entendre to hear; **bien entendu** of course
enterrer to bury
entier (*f.* **entière**) entire
entourer to surround
entraînant stirring
entre between; among; **d'entre eux** of them
entre *pres. of* **entrer**
entrée *f.* entrance
entrepôt *m.* warehouse
entreprise *f.* enterprise

entrer to enter
entretien *m.* maintenance
entrevoir to catch sight of; **faire entrevoir** to give an inkling of
énumérer to enumerate
envahir to engulf, invade, pour into
envahisseur *m.* invader
enveloppe *f.* envelope
envergure *f.* scope
envers toward
environ about
épargner to spare
épée *f.* sword
éphémère short-lived
épidémie *f.* epidemic
épopée *f.* heroic adventure
époque *f.* period
épreuve *f.* test
équateur *m.* equator
équestre on horseback
équilibrer to balance
équipage *m.* crew
équipement *m.* equipment
ériger to set up, build
érudit *m.* scholar
ès *contraction of* **en les,** *used in names of certain degrees and in some place names*
escalier *m.* staircase
escargot *m.* snail
espace *m.* room; space
Espagne *f.* Spain
espagnol Spanish; *noun* Spaniard
espèce *f.* kind
espérer to hope
espoir *m.* hope
esprit *m.* mind; spirit; **esprit commercial** commercialism; **choses de l'esprit** intellectual matters; **passioner les esprits** to stir up interest
essayer to try, taste
essence *f.* gasoline
essentiel (*f.* **essentielle**) essential
est *m.* east
est *pres. of* **être**
estime *f.* esteem
estuaire *m.* estuary
et and; **et . . . et** both . . . and
établir to set up, create, establish; **s'établir** to take up one's residence
établissement *m.* establishment; **établissement d'enseignement** educational institution
étaient *imp. of* **être**
était *imp. of* **être**
étalage *m.* display
s'étaler to be displayed
étant *pres. part. of* **être**
état *m.* state; **États-Unis** United States; **homme d'état** statesman
été *m.* summer
été *p.p. of* **être**
étend *pres. of* **étendre**
s'étendre to extend
étendue *f.* size
éternel (*f.* **éternelle**) perpetual
étiquette *f.* label
étoffe *f.* fabric
étoile *f.* star
s'étonner to be surprised; **est-il étonnant?** is it any wonder?
étouffer to choke
étranger (*f.* ***étrangère***) foreign; *noun* foreigner
être *m.* being
être to be; **étant** being; **c'est que** the point is that
étroit close; narrow
étude *f.* study
étudiant *m.* student
étudier to study
eu *p.p. of* **avoir**

européen (*f.* **européenne**) European
eut *s. past of* **avoir**
événement *m.* event
évêque *m.* bishop
évidemment evidently
évidence *f.* **de toute évidence** obviously
éviter to avoid, keep clear of
évoluer to evolve
exagération *f.* exaggeration
exagérer to exaggerate
examiner to examine
examinons *pres. of* **examiner**
excellence *f.* **par excellence** preeminently
exceller to excel
exécuter to carry out, execute
exemple *m.* example; **par exemple** for example
exempter to exempt
exercent *pres. of* **exercer**
exercer to exercise; **s'exercer** to make itself felt
exercice *m.* use; exercise
exigeant demanding
exigence *f.* requirement
exister to exist
expéditionnaire expeditionary
explication *f.* explanation
expliquer to explain; **s'expliquer** to be accounted for
explorateur *m.* explorer
explorer to explore
exposer to exhibit
exposition universelle *f.* world fair
exprimer to express
extension *f.* size; expansion
extérieur outward
extraire to mine
extraordinaire extraordinary
extrême farthest; utmost

F

fabrique *f.* factory
fabriquer to manufacture, make
face *f.* **face à** facing; **en face de** opposite
facétieux (*f.* **facétieuse**) facetious
facile easy
facilitent *pres. of* **faciliter**
faciliter to facilitate
façon *f.* way; **de façon générale** in a general way; **de façon que** so that; **de la même façon** in the same way; **d'une façon heureuse** happily; **d'une façon régulière** regularly; **en aucune façon** in no way
facteur *m.* factor; postman
faculté *f.* school within a university
faible low; moderate
faiblesse *f.* weakness
faim *f.* hunger
faire to make, do, represent; **se faire** to become; **faire allusion** to allude; **faire du camping** to go camping; **faire un cours** to teach a course; **faire la fortune de** to be a boon for; **se faire une idée** to gain an idea; **faire partie de** to be part of; **faire une place large** to give more emphasis; **faire ses études** to study; **un mot qui fait image** vivid expression; **comment se fait-il que . . . ?** how is it that . . . ? **faire** + *infinitive* to have something done
faisaient *imp. of* **faire**
faisait *imp. of* **faire**
faisant *pres. part. of* **faire**
faisceau *m.* beam
fait *m* fact; **tout à fait** entirely
fait *pres. or p.p. of* **faire**

falaise *f.* cliff
falloir to be necessary; **il faut** one must; **qu'il faut** which are needed
fallu *p.p. of* **falloir**
fameux (*f.* **fameuse**) notorious; precious
familial family
familier (*f.* **familière**) familiar
famille *f.* family
fanfare *f.* brass band
fanfaron *m.* braggart
fanfaronnade *f.* piece of boasting
farouche fierce
faut *pres. of* **falloir**
faute *f.* mistake
fauteuil *m.* armchair; seat in the French Academy
fauves *m.* wild beasts; name of a school of painting
faux (*f.* **fausse**) false
favori *m.* favorite
favori (*f.* **favorite**) favorite
favoriser to be favorable to, favor
fée *f.* fairy; **conte de fées** fairy tale
féerique magic
féminin feminine; **mode féminine** ladies' fashions
femme *f.* woman; wife
féodal feudal
fer *m.* iron
fera *fut. of* **faire**
ferme *f.* farm; farmhouse
fermement firmly
ferroviaire railroad
fertilité *f.* fertility
fête *f.* festivity; **fête nationale** Bastille Day
fêter to celebrate
feu d'artifice *m.* fireworks
fidèlement faithfully
fier (*f.* **fière**) proud
figuratif (*f.* **figurative**) representational
figurer to represent
fille *f.* girl; daughter; **jeune fille** girl
fils *m.* son
fin *f.* end; **prendre fin** to come to an end; **mettre fin à** to put an end to
finalement finally
financer to finance
financier (*f.* **financière**) financial
finir to end
finit *pres. of* **finir**
fixe fixed
fixer to set, hand down
flamand Flemish
flanc *m.* side
Flandre *f.* Flanders
flâner to stroll
flanquer to flank
flèche *f.* spire
fleur *f.* flower
fleuve *m.* river
Flore *f.* Flora; **Café de Flore** name of a café
flotte *f.* fleet
flotter to hover
fluvial river
foi *f.* faith
foie *m.* liver; **pâté de foie gras** liver paste
fois *f.* timc; **à la fois** at thc samc time; **une fois** once; **la première fois** the first time
fonction *f.* function
fonctionnaire *m.* civil servant
fonctionnement *m.* functioning
fondamental basic
fondateur *m.* founder
fondation *f.* founding

fonder to found
fondre to melt
fondue *f.* *soufflé*
font *pres. of* **faire**
fontaine *f.* fountain; well
forcer to force
forêt *f.* forest
formaliste stiff
forme *f.* form
forme *pres. of* **former**
formel (*f.* **formelle**) formal
forment *pres. of* **former**
former to form
formule *f.* formula
formuler to formulate
fort strong; *adverb* very
forteresse *f.* fortress
fortifier to fortify
fortune *f.* boon; **faire la fortune de** to be a boon for
fossé *m.* moat
fou (*f.* **folle**) mad
foule *f.* crowd
fourberie *f.* double-dealing
fourmilière *f.* anthill
fournir to supply
fournit *pres. of* **fournir**
fourrure *f.* fur
foyer *m.* center; home; hotbed
frais (*f.* **fraîche**) cool; **au frais** in the cool
franc (*f.* **franque**) Frankish; *noun* Frank
français French; *noun* Frenchman; **le français** French language; **à la française** French style
francophone French-speaking
frapper to strike; **frappant** striking
fraternité *f.* brotherhood
fréquenter to frequent
frère *m.* brother
frites *f. pl.* French-fried potatoes
frivole frivolous
froid cold
froideur *f.* coldness (*of manner*)
fromage *m.* cheese
front *m.* **de front** abreast
frontière *f.* frontier; **pays frontière** borderland
fruitier (*f.* **fruitière**) fruit bearing; **arbre fruitier** fruit tree
fruits de mer *m. pl.* shellfish
fumée *f.* smoke
funérailles *f. pl.* funeral
furent, fut *s. past of* **être**

G

gaffe *f.* blunder
gagner to win, earn; **gagner gros** to make big money
galérie *f.* gallery
galérien *m.* galley slave
Galles *f.* Wales (*usually* **pays de Galles**)
gamme *f.* gamut
garantie *f.* guarantee
garantir to guarantee
garçon *m.* boy
garder to keep; **se garder de** to take care not to
gardian *m.* cowboy of the *Camargue*
gardien *m.* guardian
gare *f.* station
garer to park
garnir to garnish
garnison *f.* garrison
Gascogne *f.* Gascony
gasconnade *f.* tall story
gastronomie *f.* gastronomy
gastronomique gastronomical
gauche left

gauche *f.* political left
Gaule *f.* Gaul
gaulois of Gaul; *noun* inhabitant of Gaul
gave *pres. of* **gaver**
gaver to force feed
géant *m.* giant
gèle *pres. of* **geler**
geler to freeze
gendarmerie *f.* armed police force
généreux (*f.* **généreuse**) generous
génie *m.* genius; **génie de la France** spirit of France
genre *m.* type
gens *m. or f. pl.* people
gentilhomme *m.* nobleman; **Le Bourgeois Gentilhomme** *The Would-Be Gentleman*
géographie *f.* geography
géographique geographical
géologique geological
géométrie *f.* geometry
géométrique geometrical
gerbe *f.* flood (*of light*)
germanique germanic
gigantesque gigantic
gisement *m.* deposit
gloire *f.* glory
glorieux (*f.* **glorieuse**) glorious
golfe *m.* gulf
gosse *m. or f.* kid
gourmet *m.* connoisseur of food and drink
goût *m.* taste
goûter to taste
goutte *f.* drop; **se ressembler comme deux gouttes d'eau** to be exactly alike
gouvernement *m.* government
gouvernemental governmental
gouverner to govern
grâce à thanks to
gracier to reprieve
gracieux (*f.* **gracieuse**) graceful
graduel (*f.* **graduelle**) gradual
graisse *f.* fat
grammaire *f.* grammar
grand large; big; tall; great; **Grande Bretagne** Great Britain; **grand'place** main square
gras (*f.* **grasse**) fat
gratte-ciel *m.* skyscraper
gravement seriously
grec (*f.* **grecque**) Greek
Grèce *f.* Greece
grève *f.* strike
gris gray
gros (*f.* **grosse**) big; **gagner gros** to make big money
grouiller de to teem with
groupement *m.* group; body
grouper to arrange, lay out
guérison *f.* cure
guerre *f.* war; **guerre de Cent Ans** Hundred Years' War; **guerre mondiale** world war
guillotiner to guillotine
guinguette *f.* country-tavern garden

H

habit *m.* uniform
habitant *m.* inhabitant
habiter to live
habitude *f.* habit
haie *f.* hedge
Halles *f. pl.* name of the Paris central market
hameau *m.* hamlet
hardi bold; hardy
haricot *m.* bean
harmonie *f.* harmony

harmonieux (*f.* **harmonieuse**) harmonious
hasard *m.* chance
hausse *f.* rise
haut high; loud; **en haut de** on top of; **haut-parleur** loud-speaker
hebdomadaire *m.* weekly
héberger to offer hospitality
hélas! alas!
hélice *f.* spiral; **rampe en hélice** winding ramp
hémicycle *m.* half-circle
herbe *f.* grass; herb; **fines herbes** herbs for seasoning
hérésie *f.* heresy
héritage *m.* inheritancc
héros *m.* hero
hêtre *m.* beech tree
heure *f.* hour; **à l'heure qu'il est** nowadays
heureux (*f.* **heureuse**) happy; lucky; welcome
hisser to hoist
histoire *f.* history; story
historien *m.* historian
historique historic; historical
hiver *m.* winter
hollandais Dutch; *noun* Dutchman
homard *m.* lobster
homme *m.* man; **homme d'affaires** businessman; **homme d'armes** armed man; **homme d'état** statesman
honnête honest
honneur *m.* honor
honorer to honor
hostilité *f.* hostility
hôtel *m.* mansion; hotel; **Hôtel des Invalides** Military Pensioners' Hospital in Paris
houille *f.* coal
huile *f.* oil
huis *m.* door (*obsolete*); **Huis Clos** *In closed session* (*No Exit*)
huit eight
humain human
humanité *f.* mankind
humour *m.* humor
hymne national *m.* national anthem

I

ici here
idéal *m.* (*pl.* **idéaux**) ideal
idée *f.* idea
ignorer not to know
il y a there is; there are; **il y en a** there are some
île *f.* island; isle
illimité boundless
illogique illogical
illuminer to illuminate
illustration *f.* interpretation (*obsolete*)
illustre illustrious; renowned
illustrer to interpret, illustrate
imaginaire imaginary; **le Malade Imaginaire** *The Imaginary Invalid*
imbu imbued
imiter to imitate
immigré *m.* immigrant
immortel (*f.* **immortelle**) immortal; *m. pl.* members of the French Academy
impétueux (*f.* **impétueuse**) impetuous
impliqué involved
n'importe quel no matter which
importer to import
imposant imposing

imposer to enforce, assert; **s'imposer** to be imperative; spread
impossibilité *f.* impossibility
impôt *m.* tax
imprégné steeped
imprimerie *f.* printing plant
incapacité *f.* inability
incarner to embody
inconnu unknown
inculquer to instil
indépendance *f.* independence
indépendant independent
indice *m.* indication
indien (*f.* **indienne**) Indian
indiquer to indicate
individualité *f.* individuality
industrialiser to industrialize
industrie *f.* industry
industriel (*f.* **industrielle**) industrial
industriel *m.* industrialist
inférieur lower
infini infinite
infirme disabled
influent influential
informations *f. pl.* news
ingénieur *m.* engineer
ininterrompu uninterrupted
initier to initiate
innombrable innumerable
innovateur *m.* innovator
inonder to flood
inquiétant alarming
inquiéter to render uneasy; **s'inquiéter** to worry
insister sur to stress
inspecteur *m.* inspector
inspirer to inspire; **s'inspirer de** to take one's inspiration from
instabilité *f.* instability
s'installer to locate oneself
instituer to initiate
instituteur *m.* elementary school teacher
institution *f.* introduction
insuffisamment insufficiently
insuffisant insufficient
insulaire of an islander
intégrant integral
intellectuel (*f.* **intellectuelle**) intellectual
intensité *f.* intensity
intéressant interesting
s'intéresser à to take interest in
intérêt *m.* interest
intérieur *m.* interior
intermédiaire *m.* intermediary; **par l'intermédiaire de** through
interner to intern
intervalle *m.* interval
intitulé entitled
intriguer to rouse the curiosity of someone
introduire to introduce
inventer to invent
investissement *m.* investment
inviter to invite
invraisemblable incredible
Irlande *f.* Ireland
ironie *f.* irony
irrationnel (*f.* **irrationnelle**) irrational
irrégulier (*f.* **irrégulière**) rugged; irregular
irrévérencieux (*f.* **irrévérencieuse**) irreverent
irriguer to irrigate
isolé isolated
isolement *m.* isolation
issu de born of
Italie *f.* Italy
itinéraire *m.* itinerary
ivoire *f.* ivory

J

jaillir to emerge suddenly
jamais never (*with* **ne**)
Japon *m.* Japan
Japonais *m.* Japanese
jardin *m.* garden; **jardin d'eau** garden with pools and fountains; **jardin d'ornement** ornamental garden; **jardin potager** kitchen garden
jardinier *m.* gardener
jaune yellow
jeter to throw; **se jeter** to flow into
jette *pres. of* **jeter**
jeu *m.* game; play
jeudi *m.* Thursday
jeune young; **jeune fille** girl
jeunesse *f.* youth
joie *f.* joy
joignaient *imp. of* **joindre**
se joindre à to join
joli pretty
jouent *pres. of* **jouer**
jouer to play
joueur *m.* player
jouir de to enjoy
jour *m.* day; **de nos jours** nowadays
journal *m.* newspaper
journée *f.* day
joyau *m.* jewel
judiciaire of justice
juge de paix *m.* justice of the peace
juger to form an opinion
juillet *m.* July
juin *m.* June
jupe *f.* skirt
juridiction *f.* jurisdiction
jusqu'à until; as far as; **de . . . jusqu'à** from . . . to
justement precisely
justifier to justify

K

kilo *m.* *abbreviation of* **kilogramme** kilogram (*equal to about 2.2 lbs.*)
kilomètre *m.* kilometer (*about five ninths of a mile*)
kiosque à journaux *m.* newspaper stand

L

là there; **de là** hence; **par là** that way
laboratoire *m.* laboratory
laborieux (*f.* **laborieuse**) working
lac *m.* lake
laine *f.* wool
laïque secular
laisser to leave, let
lait *m.* milk
lancer to launch
langue *f.* tongue; language; **de langue française** French-speaking; **langue maternelle** mother tongue; **mauvaise langue** evil tongue
lanterne *f.* turret on a roof
lapin *m.* rabbit
lard *m.* bacon
large wide; broad; **au large de la côte** off the coast
las (*f.* **lasse**) tired
lavande *f.* lavender
lecture *f.* reading
légendaire legendary
légume *m.* vegetable
lendemain *m.* the next day; **au lendemain de** immediately after
lent slow
lessive *f.* household washing

lettre *f.* letter; **belles lettres** literature
lever to raise; **se lever** to get up
libérer to liberate
liberté *f.* freedom
libraire *m.* bookseller
librairie *f.* bookstore
libre free
licence *f.* first university diploma
lie *pres. of* **lier**
lien *m.* tie
lier to link
lieu *m.* place; spot; **lieu de prédilection** favorite sojourn; **au lieu de** instead of; **avoir lieu** to take place
ligne *f.* line; **ligne de navigation** shipping line
Ligue *f.* league of Catholics opposed to Henri IV
limite *f.* boundary
limiter to limit
lire to read
lisent *pres. of* **lire**
litre *m.* liter (*about 1¾ pint*)
littéraire literary
littérature *f.* literature
livre *m.* book
livrer to engage in
loi *f.* law
loin far; **de loin** by far; from a distance; **au loin** in the distance
lointain distant
loisir *m.* leisure
Londres *f. or m.* London
long (*f.* **longue**) long; **de long** in length; **le long de** along
longer to run alongside
longtemps a long time
longueur *f.* length
lopin *m.* plot (*of ground*)
lors de at the time of
lorsque when
Louvre *m.* palace and museum in Paris
loyer *m.* rent
lucarne *f.* skylight
lugubre woeful
lumière *f.* light; **siècle des Lumières** age of Enlightenment
luthier *m.* violinmaker
lutte *f.* struggle; fight
lutter to fight
luxe *m.* luxury
luxueux (*f.* **luxueuse**) sumptuous
lycée *m.* secondary school

M

machinerie *f.* machinery
magasin *m.* shop
magicien *m.* magician
magique magical
magnifique magnificent
magot *m.* species of monkey, also a kind of Chinese porcelain figure; **Café des Deux Magots** name of a café in Paris
main d'œuvre *f.* manpower
maint many a
maintenant now
se maintenir to last
maire *m.* mayor
mairie *f.* town hall
mais but
maison *f.* house
maître *m.* master; holder of a master's degree; **maître d'hôtel** head steward
maîtrise *f.* mastery; master's degree
majesté *f.* majesty
majorité *f.* majority
mal ill

malade *m.* patient; **le Malade Imaginaire** *The Imaginary Invalid*
malgré in spite of
malheureusement unfortunately
malin (*f.* **maligne**) shrewd
Manche *f.* English Channel
manger to eat
manie *f.* craze
manier to handle
manifester to demonstrate; **se manifester** to appear
manœuvre *pres. of* **manœuvrer**
manœuvrer to handle
manque *m.* lack
manquer to lack, be lacking, fail; **il nous manque** we lack
manuel (*f.* **manuelle**) manual; **travaux manuels** handicrafts
maquis *m.* brushwood; French underground resistance in World War II
marais *m.* marshland
marbre *m.* marble
marcassin *m.* young wild boar
marchand *m.* (*f.* **marchande**) merchant; seller; **marchande de quatre saisons** peddler of fruit and vegetables
marchandise *f.* goods
marché *m.* market; **bon marché** cheap
marcher to walk, march
marécageux (*f.* **marécageuse**) marshy
maréchal *m.* marshal
marée *f.* flood; tide
mari *m.* husband
mariage *m.* wedding; marriage; **demander en mariage** to propose marriage
marier to marry, give one's daughter in marriage
marin *m.* seaman
marine *f.* merchant marine and navy
marque *f.* mark
marqué, marquées *p.p. of* **marquer**
marquer to mark
marquise *f.* marchioness
masse *f.* bulk
massif *m.* group of mountains
massif (*f.* **massive**) bulky; solid
match *m.* game such as football; **Paris-Match** illustrated weekly
matériel *m.* (*pl.* **matériaux**) material
maternel (*f.* **maternelle**) maternal; **langue maternelle** mother tongue
mathématicien *m.* mathematician
mathématiques *f. pl.* mathematics
matière *f.* subject; **matière première** raw material; **en matière sociale** in the social field
matin *m.* morning
matinée *f.* afternoon performance
mauvais bad; **mauvaise langue** evil tongue
mécanique mechanical
mécanisme *m.* machinery
mécontent dissatisfied
médecin *m.* physician
Méditerranée *f.* Mediterranean Sea
méditerranéen (*f.* **méditerranéenne**) Mediterranean
méfiance *f.* distrust
se méfier de to distrust
meilleur better; **le meilleur** best
mélodie *f.* melody
mélodieux (*f.* **mélodieuse**) melodious
membre *m.* member
même same; even; itself; *after a noun* very; **être à même de** to be in a position to; **tout de même** all the same; **il en est de même** the same is true

mémoire *f.* memory
menacer to threaten; **menaçant** forbidding
ménage *m.* household
ménager (*f.* **ménagère**) of the household
ménager to treat with consideration
ménagère *f.* housewife
mener to lead, carry on
menhir *m.* upright block of stone
mensonge *m.* lie
mentionner to mention
mépriser to despise
mer *f.* sea; **Mer du Nord** North Sea
mère *f.* mother
méridional *m.* Southerner
mériter to deserve
merveille *f.* marvel; wonder
merveilleux (*f.* **merveilleuse**) wonderful
mesure *f.* measure; **dans une certaine mesure** in some degree
mesurer to measure
méthodiquement methodically
méticuleux (*f.* **méticuleuse**) meticulous
métier *m.* trade; craft; **métier à tisser** loom
métro *m.* subway (*short for* **Chemin de fer métropolitain de la région parisienne**)
métropole *f.* metropolis
métropolitain metropolitan; **France métropolitaine** European France
mets *m.* dish
mettre to put on, place; **mettre fin à** to put an end to; **mettre . . . à** to take (*so and so much time*) to; **mettre en relief** to show off something to its best advantage
meubles *m. pl.* furniture
mexicain Mexican
Mexique *m.* Mexico
miauler to mew
midi *m.* south
milieu *m.* middle
militaire military; *noun* military man
mille one thousand
milliard *m.* billion
millier *m.* about a thousand; *pl.* thousands
minerai *m.* ore
minime very small; extremely modest
ministère *m.* ministry
ministre *m.* minister
minutieux (*f.* **minutieuse**) scrupulous
miraculeux (*f.* **miraculeuse**) miraculous
miroir *m.* mirror
mis *p.p. or s. past of* **mettre**
misérable wretched
misère *f.* troubles
mistral *m.* cold northeast wind in the Rhone valley
mit *s. past of* **mettre**
mixte mixed
mode *f.* fashion; **à la mode américaine** American style; **journal de modes** fashion book
modéré moderate
moderniser to modernize
moderniste overprogressive
moindre less
moins less; **au moins** at least
mois *m.* month
moitié *f.* half
moment *m.* **au moment de** at the time of
monarchie *f.* monarchy
monarque *m.* monarch

monastère *m.* monastery
mondain mundane
monde *m.* world; people; **tout le monde** everybody
mondial world-wide; **guerre mondiale** world war
monétaire monetary
monôme *m.* parade in single file
monopole *m.* monopoly
monotonie *f.* monotony
monstrueux (*f.* **monstrueuse**) monstrous
mont *m.* mountain
montagne *f.* mountain
montagneux (*f.* **montagneuse**) mountainous
montant *m.* amount
monter to rise, set up, go up
montrer to show; **se montrer** to show up
monument *m.* building; landmark
se moquer de to make fun of
mort *f.* death
mort *p.p. of* **mourir**
mot *m.* word; remark
motif *m.* motive
mouche *f.* fly
moulin *m.* mill; **moulin à vent** windmill
mourir to die
mourut *s. past of* **mourir**
mousquetaire *m.* musketeer
mousseux (*f.* **mousseuse**) sparkling
mouton *m.* sheep; mutton
mouvant moving; **dunes mouvantes** *f.* shifting dunes
mouvement *m.* movement
moyen (*f.* **moyenne**) medium; middle; **Moyen Âge** Middle Ages; **moyen français** middle French (*a historical stage in the development of the language*); **Moyen-Orient** Middle East; **classe moyenne** middle class; **Français moyen** average Frenchman
moyenne *f.* average; **en moyenne** on the average
multiplicité *f.* multiplicity
muni de provided with
mur *m.* wall
muraille *f.* high and powerful wall
mûrier *m.* mulberry tree
musée *m.* museum
musique *f.* music
mystérieux (*f.* **mystérieuse**) mysterious

N

naissance *f.* birth
naître to be born, spring up
natalité *f.* birth rate
nationaliser to nationalize
naturel (*f.* **naturelle**) natural
nausée *f.* nausea
navigateur *m.* navigator
naviguent *pres. of* **naviguer**
naviguer to sail
né *p.p. of* **naître** born
néanmoins nevertheless
néant *m.* nothingness
nécessaire necessary
nécessité *f.* necessity
nécessiter to entail
négliger to neglect
négocier to negotiate
neige *f.* snow
neige *pres. of* **neiger**
neiger to snow
net (*f.* **nette**) definite; clear
neuf (*f.* **neuve**) new
neuf nine

neveu *m.* nephew
ni ... ni neither ... nor (*with* **ne**)
niveau *m.* level; **niveau de vie** standard of living
niveler to level
noblesse *f.* nobility
noir black
nom *m.* name; **nom de plume** pen name
nombre *m.* number; **être au nombre de** to number; **sans nombre** innumerable
nombreux (*f.* **nombreuse**) numerous; **famille nombreuse** large family
nommer to appoint
non not; **non plus** not ... either
nord *m.* north
normand Norman
Normandie *f.* Normandy
nostalgie *f.* nostalgia
notaire *m.* notary
notamment in particular
note *f.* grade
note *pres. of* **noter**
noter to take note of; **notons** it is worth pointing out
nouveau (*f.* **nouvelle**) new; **de nouveau** again
nouveauté *f.* novelty
nouvelle *f.* news
nuage *m.* cloud
nuit *f.* night
numéro *m.* number

O

obéir to obey
obélisque *m.* obelisk
objet *m.* object
obligatoire compulsory
observer to follow; observe
obstination *f.* obstinacy
obtenir to obtain
obtiennent, obtient *pres. of* **obtenir**
oc yes (*in old Provençal*)
occidental western
occupent *pres. of* **occuper**
occuper to occupy; **occupé** busy; **s'occuper de** to take care of
odeur *f.* smell
œil *m.* eye (*pl.* **yeux**)
œuvre *f.* work
offert *p.p. of* **offrir**
officiel (*f.* **officielle**) official
officier *m.* officer
offre *pres. of* **offrir**
offrir to offer; **s'offrir** to stand open; **s'offrir aux yeux** to meet the eye
oie *f.* goose
oignon *m.* onion
oïl yes (*in old French*)
olivier *m.* olive tree
ombre *f.* shadow
ont *pres. of* **avoir**
onze eleven
onzième eleventh
opposent *pres. of* **opposer**
opposer to oppose; **opposé** opposite; **s'opposer à** to oppose
optique *f.* optics
or now
orage *m.* thunderstorm
oranger *m.* orange tree
orchestre *m.* orchestra
ordinaire common
ordonner to order
ordure *f.* garbage
ores now (*obsolete*); **d'ores et déjà** right now
organiser to organize
oriental eastern

orienter to guide, turn
originaire native
originalité *f.* originality
origine *f.* origin; **à l'origine** originally
ornement *m.* ornament
orner to adorn
orthographe *f.* spelling
ou or
où where
oublier to forget, overlook
ouest *m.* west
oui yes
outil *m.* tool
outre beyond; **en outre** moreover; **d'outre-mer** overseas
ouvert *p.p. of* **ouvrir**
ouvrage *m.* work
ouvrier *m.* worker
ouvrier (*f.* **ouvrière**) of workers
ouvrir to open; **s'ouvrir** to open

P

païen (*f.* **païenne**) pagan
pain *m.* bread
paisible peaceful
paix *f.* peace
palais *m.* palace
paléographique ancient and medieval (*documents*)
palmier *m.* palm tree
pape *m.* Pope
par through; by; with; for; per; out of; **par contre** on the other hand
para *m.* *short for* **parachutiste**
paradoxal paradoxical
paraître to appear, seem
parc *m.* park
parce que because
parcours *m.* trip
parent *m.* relative
parenté *f.* relationship
parenthèse *f.* parenthesis
parer à to guard against
parfait perfect
parfois sometimes
parfum *m.* perfume; scent
parfumer to make fragrant
parisien (*f.* **parisienne**) Parisian
parle *pres. of* **parler**
parlée *p.p. of* **parler**
parlement *m.* parliament
parlementaire parliamentary
parlent *pres. of* **parler**
parler *m.* speech
parler to speak
parmi among
parole *f.* language
part *f.* share; **à part** separate; **d'une part** on the one hand; **d'autre part** on the other hand; **quelque part** somewhere
partenaire *m.* partner
parterre *m.* flower bed
parti *m.* party
participe *m.* participle
participer to participate
particulier (*f.* **particulière**) particular; peculiar; **en particulier** in particular
partie *f.* part; game; **en grande partie** largely; **en partie** partly; **faire partie de** to be part of
partir to leave
partout everywhere; **un peu partout** more or less everywhere
pas *m.* step; **revenir sur ses pas** to retrace one's steps
passager (*f.* **passagère**) short-lived
passant *pres. part. of* **passer**
passé *m.* past

passent *pres. of* **passer**
passer to go, pass, spend; **se passer** to happen; **se passer de** to do without; **en passant par** including
passionné passionate
passionner to stir the interest; **passionner les esprits** to stir up discussion
pastèque *f.* watermelon
pâté *m.* meat pie; **pâté de foie gras** liver paste
patois *m.* dialect
patrie *f.* homeland
patrimoine *m.* heritage
patron *m.* owner of firm
pâturage *m.* pasture
pauvre poor
pauvres *m. pl.* poor people
payer to pay
pays *m.* country; **pays frontière** borderland
paysage *m.* landscape
paysagiste *m.* landscape painter
paysan *m.* peasant
pêche *f.* fishing
pêcheur *m.* fisherman
peindre to paint
peint *p.p. of* **peindre**
peintre *m.* painter
peinture *f.* painting
pèlerinage *m.* pilgrimage
se pencher sur to become engrossed with
pendant during
pendre to hang
péniche *f.* barge
pensée *f.* thinking; thought
penser à to think of
pénurie *f.* shortage
perception *f.* collection (*of taxes*)
perché perched
perdre to lose
père *m.* father
pérennité *f.* durability
perfection *f.* completion
périmé out of date
périodique *m.* periodical; **périodique savant** professional journal
périodiquement periodically
périssable perishable
permet *pres. of* **permettre**
permettre to allow; **se permettre** to afford
perpétue *pres. of* **perpétuer**
perpétuer to perpetuate
perpétuité *f.* perpetuity
persistant persistent
personnage *m.* person; figure
personnalité *f.* personality
personne *f.* person; **personne de langue anglaise** native speaker of English
personne nobody (*with* **ne**)
personnel *m.* staff
personnel (*f.* **personnelle**) personal
perspective *f.* vista
persuader à to induce
perte *f.* loss; **à perte de vue** as far as the eye can reach
peser to weigh
peste *f.* plague
petit small; little; **petit-fils** grandson
pétrifier to petrify
pétrole *m.* crude oil
peu little; few; **à peu près** more or less; **peu à peu** little by little; **peu honnête, peu ordinaire** rather dishonest, rather uncommon; **un peu** a little, slightly; **un peu partout** more or less everywhere
peuple *m.* people; nation

peuplier *m.* poplar tree
peut *pres. of* **pouvoir**
peut-être perhaps
peuvent *pres. of* **pouvoir**
pharmacie *f.* pharmacology
philologue *m.* philologist
philosophe *m.* philosopher
philosophie *f.* philosophy
photographe *m.* photographer
photographie *f.* photography
phrygien (*f.* **phrygienne**) Phrygian; **bonnet phrygien** liberty cap
physiologie *f.* physiology
pic *m.* peak
pièce de théâtre *f.* play
pied *m.* foot
piédestal *m.* pedestal
pierre *f.* stone
piéton *m.* pedestrian
piment *m.* red pepper
pin *m.* pine tree
pionnier *m.* pioneer
pitié *f.* suffering (*obsolete*)
pittoresque picturesque
place *f.* room; public square; **faire place à** to make room for; **faire une place plus large à** to give more emphasis to
place *pres. of* **placer**
placer to place
plage *f.* beach
plaine *f.* plain
plaisanterie *f.* joke; **par plaisanterie** in jest
plan *m.* level, plan; **plan Marshall** Marshall Plan; **premier plan** first-rate: **second plan** second-rate
planter to plant
plaque tournante *f.* turntable
plat *m.* dish
plat flat
platane *f.* maple tree
plein full; **en plein air** in the open; **en plein vingtième siècle** in the middle of the twentieth century
pleut *pres. of* **pleuvoir**
pleuvoir to rain
plomb *m.* lead
pluie *f.* rain
plume *f.* pen; **nom de plume** pen name
plupart *f.* the greater part
plus more; any more; any longer (*with* **ne**); **de plus** moreover; **de plus en plus** more and more; **en plus** moreover; **en plus de** in addition to; **non plus** not . . . either; **tout au plus** at the very best
plusieurs several
plutôt rather
pneu *m.* tire
poche *f.* pocket; **livre de poche** paperback
poésie *f.* poetry
poétique poetical
poilu *m.* French soldier of World War I
point not at all (*with* **ne**); **point de** not a single
pointe *f.* point; **pointe des pieds** on tiptoe
pointu pointed
poisson *m.* fish
poli polished
politique *f.* policy
politique political
pommier *m.* apple tree
pompier *m.* fireman
pont *m.* bridge
populaire folk; of the people; cheap; **chanson populaire** hit song

porc *m.* pork
portail *m.* portal
porte *f.* door
porter to wear; bear; **porter sur** to bear upon
portugais Portuguese
pose *pres. of* **poser**
poser to place, pose
possède *pres. of* **posséder**
posséder to possess; boast
possibilité *f.* possibility
poste *m.* station; **poste de réception** receiver
poste *f.* postal service
potager (*f.* **potagère**) for cooking; **jardin potager** kitchen garden
potence *f.* supporting pillars
Poucet *m.* **le Petit Poucet** Tom Thumb
pour for; in order to; to
pourquoi why
pourrait *cond. of* **pouvoir**
se poursuivre to continue
pourtant however; nevertheless
pousser to push, grow; **poussé** determined; intensive
pouvoir *m.* power
pouvoir to be able; can; may
pouvons *pres. of* **pouvoir**
prairie *f.* meadow
pratique *f.* practice; **mettre en pratique** to put into practice
pratique practical
pratiquer to perform
pré-salé *m.* salt meadow; meat of sheep fattened on salt meadows
préalablement to begin with
préambule *m.* preamble
précaire precarious
précéder to precede
précieuse *f.* 17th century advocate of refined speech
précieux (*f.* **précieuse**) precious
préciser to point out
préconiser to advocate
précurseur *m.* forerunner
prédestinent *pres. of* **prédestiner**
prédestiner to predestine
prédilection *f.* preference; **lieu de prédilection** favorite sojourn
prédire to predict
prédominent *pres. of* **prédominer**
prédominer to predominate
préfecture *f.* seat of a regional administration
préférer to prefer
préfet *m.* administrator of a *département*
préhistoire *f.* prehistory
premier (*f.* **première**) first; **premier ministre** prime minister
première *f.* first night (*of a play*)
prend *pres. of* **prendre**
prendre to take, take on; **prendre fin** to come to an end; **prendre le soleil** to sun oneself
prennent *pres. of* **prendre**
préparatifs *m. pl.* preparations
préparatoire in preparation for; preparatory
préparée *p.p. of* **préparer**
préparer to prepare
prépondérant leading
près de near; **à peu près** more or less
présager to herald
présentent *pres. of* **présenter**
présenter to represent, offer; **se présenter** to take an examination
présidentiel (*f.* **présidentielle**) presidential

présider to preside
presque almost
presse *f.* press; rush; **presse du cœur** pulp magazines
pressé hurried
pression *f.* pressure
prestation *f.* benefit
prestigieux (*f.* **prestigieuse**) amazing
prétendre to claim; **prétendu** alleged
prétentieux (*f.* **prétentieuse**) showy
prétention *f.* ambition
prêtre *m.* priest
prévoir to provide for
prier to pray
prière *f.* prayer
primaire primary
primeur *f.* vegetables which ripen early
primitif (*f.* **primitive**) original
primordial primary
principe *m.* principle
pris *p.p. of* **prendre**
prisonnier (*f.* **prisonnière**) prisoner
privé private
priver to deprive
privilégié privileged; **quelques privilégiés** *m. pl.* privileged few
prix *m.* price; prize
procédé *m.* ways
procéder à to undertake
prochain in the near future
proche closely related; **Proche-Orient** Near East
proclamer to proclaim
prodigieux (*f.* **prodigieuse**) prodigious
produire to produce; **se produire** to take place
produit *m.* product
produit *pres. or p.p. of* **produire**
professeur *m.* professor
profiter de to take advantage of
profond deep; profound
profondément deeply
profondeur *f.* depth
programme *m.* program
progrès *m.* progress
projecteur *m.* searchlight
projet *m.* plan; **projet de loi** draft bill
se projeter to jut out
se promener to take a walk
promeneur *m.* one who strolls
promettre to pledge, promise
promulguer to promulgate
prononcer to pronounce; **prononcé** sharp
prononciation *f.* pronunciation
propager to spread
proposer to propose; **se proposer de** to have in view to
proposition *f.* proposal
propre own; **proprement dit** properly so-called
propriétaire *m.* owner; holder
propriété *f.* landholding
prospère prosperous
prospérité *f.* prosperity
protecteur *m.* patron
protéger to protect
protestation *f.* protest
protester to protest
prouver to prove
provençal of Provence; the language of Provence
provenir de to come from
proviennent *pres. of* **provenir**
province *f.* **en province** outside Paris
provisoire provisional

provoquer to give rise to
proximité *f.* proximity
Prusse *f.* Prussia
prussien (*f.* **prussienne**) Prussian
psychologie *f.* psychology
publicité *f.* advertising
publier to publish
puis then
puisque since
puissance *f.* power
puissant mighty
puits *m.* well

Q

quai *m.* embankment
qualifier to call
qualité *f.* quality
quand when
quant à as for
quantité *f.* quantity
quarante forty
quart *m.* quarter
quartier *m.* district; **quartier général** headquarters
quasi almost
quatorze fourteen
quatre four
quatrième fourth
que whom; which; that; whether; than; only (*with* **ne**)
quelque some
quint fifth (*obsolete*); **Charles-Quint** Charles the Fifth
quinzaine *f.* fortnight
quitter to leave
quoi qu'il en soit be that as it may
quoique although
quotidien *m.* daily

R

raconter to tell
radieux (*f.* **radieuse**) dazzling
raffinement *m.* refinement
raisin *m.* grape
raison *f.* reason; **à raison de** at the ratio of; **avoir raison** to be right
raisonnable reasonable
raisonné rational
rang *m.* rank; **tenir le premier rang** to hold the foremost place
rappeler to remind
rapport *m.* dealings
rapporter to relate, bring back
se rapprocher to draw nearer
rarement seldom
ratifier to ratify
rationnel (*f.* **rationnelle**) rational
rattacher to tie
ravitaillement *m.* delivery of supplies
rayonne *f.* artificial silk
rayonnement *m.* pre-eminence
rayonner to radiate
réaffirmer to reaffirm
réagir to react
réalisation *f.* creation
réaliser to carry out
réalité *f.* reality
récemment recently
réception *f.* reception
recette *f.* recipe
recevoir to receive, admit; **être reçu** to pass an examination
recherche *f.* research; pursuit
récit *m.* tale
réclamer to claim
reçoivent *pres. of* **recevoir**

récolte *f.* crop
recommander to recommend
recompenser to reward
reconnaître to recognize
reconnu *p.p. of* **reconnaître**
reconnut *s. past of* **reconnaître**
reconstituer to restore
reconstruire to rebuild
recouvrir to cover
recrutement *m.* recruiting
recruter to recruit
recteur *m.* head of an educational district
rectiligne in a straight line
reçu *p.p. of* **recevoir**
redevenir to become again
rédiger to write
redoutable formidable
redressement *m.* recovery
se réduire à to boil down to
réel (*f.* **réelle**) real
refléter to reflect
réformateur *m.* reformer
se réfugier to seek refuge
refuser to refuse
regarder to look at
règle *f.* rule
régler to regulate
règne *m.* rule; reign
règne *pres. of* **régner**
régner to rule, prevail; **régner en souverain** to rule supreme
régulier (*f.* **régulière**) regular
reine *f.* queen
reléguer to relegate
relie *pres. of* **relier**
relief *m.* raised outline; **mettre en relief** to show off
relient *pres. of* **relier**
relier to connect
religieux (*f.* **religieuse**) religious
remarquable noteworthy
remarquer to remark
remédier to remedy
remembrement *m.* reintegration
remercier to thank
se remettre to recover
remonter to go back
rempart *m.* wall of fortification
remplacer to replace
remplir to fill
remporter to win (*a victory*)
rencontrer to come upon
rencontrons *pres. of* **rencontrer**
rendez-vous *m.* meeting-place
rendre to make, restore, render; **se rendre à** to proceed to
renommé noted; famous
renouveau *m.* recovery
renseignement *m.* information
renverser to overthrow
renvoyer to send home
repartir to leave again
répartir to divide
repas *m.* meal
réponse *f.* answer
reposer to lie down
représentant *m.* representative
représentation *f.* performance
représente, représentent *pres. of* **représenter**
représenter to perform, represent, depict; **se représenter** to visualize
reprise *f.* renewal; **à plusieurs reprises,** on several occasions
reprocher to reproach
républicain republican
république *f.* republic
réseau *m.* network
réserver to set aside, reserve

résidentiel (*f.* **résidentielle**) residential
résider to reside
résister to resist
résoudre to solve
respectabilité *f.* respectability
respecter to respect
respirer to tell of, breathe
responsabilité *f.* responsibility
responsable responsible
ressembler to resemble
ressort *m.* jurisdiction; **en dernier ressort** in the last resort
ressource *f.* resource
reste *m.* rest; **du reste** besides
rester to remain
restreint limited
résultat *m.* result
résulter to come into being
rétablir to re-establish
se retirer to retire
retour *m.* return; **de retour** back
retraité *m.* retired person
retransmettre to broadcast
retrouver to find; **se retrouver** to meet
réunion *f.* meeting
réunir to join, gather; **se réunir** to meet
réussir to succeed
revaloriser to regenerate
revanche *f.* revenge
réveil *m.* awakening
révéler to reveal; **se révéler** to turn out to be
revenant *m.* ghost
revenir to return; **revenir sur ses pas** to retrace one's steps
rêver to dream
reviennent *pres. of* **revenir**
revit *pres. of* **revivre**
revivre to live again
révocation *f.* repeal
révolutionnaire revolutionary; *noun* revolutionary
révolutionner to revolutionize
révoquer to repeal
revue *f.* review
Rhin *m.* Rhine river
riant smiling
richesse *f.* wealth
rideau *m.* screen
ridicule ridiculous
rien nothing (*with* **ne**); **rien du tout** nothing at all
rigoureux (*f.* **rigoureuse**) severe
rigueur *f.* strictness; **être de rigueur** to be indispensable
risque *m.* risk
risquer to run a risk
rive *f.* bank (*of a river*)
rivière *f.* river
rocher *m.* rock
rocheux (*f.* **rocheuse**) rocky
roi *m.* king
rôle *m.* role
romain Roman
roman *m.* novel
roman Romanesque (*of style*); Romance *or* Romanic (*of languages*)
romancier *m.* novelist
romand of the French-speaking regions of Switzerland
romantisme *m.* romanticism
rond round
roue *f.* wheel
rouge red
roumain Rumanian
route *f.* highway
royaume *m.* kingdom
rubrique *f.* column
rue *f.* street

ruelle *f.* small street
ruiner to ruin
russe Russian
Russie *f.* Russia

S

sable *m.* sand
sabot *m.* wooden shoe
Sacré-Cœur *m.* Sacred Heart
sacrifier to sacrifice
sage wise
sagesse *f.* wisdom
saillant outstanding
saint holy; **histoire sainte** Bible history; **Saint-Laurent** Saint Lawrence river
Saint-Siège *m.* Holy See
sais *pres. of* **savoir**
saison *f.* season
sait *pres. of* **savoir**
salaire *m.* wage
salarié *m.* wage earner
sale dirty
saler to salt; **pré-salé** salt meadows; meat of sheep fattened on salt meadows
salle *f.* hall
salon *m.* living room
saluer to greet
salut *m.* greeting
sanctionner to approve and verify
sanglant bloody
sanglier *m.* wild boar
sans without
santé *f.* health
sapin *m.* fir
satisfaire to satisfy
saucisse *f.* sausage
saurait *cond. of* **savoir; ne saurait** cannot
sauvage wild, rough
sauvegarder to safeguard
sauver to save
savant *m.* scholar
savant learned; **périodique savant** professional journal
Savoie *f.* Savoy
savoir to know; **que sais-je!** and what not!
savoureux (*f.* **savoureuse**) savory
savoyard of Savoy
sceller to seal
scène *f.* theater
schéma *m.* rough outline
science *f.* study
scintillant sparkling
sclérosé sclerotic through old age
scolaire school; academic
scolarité *f.* schooling
scolastique *f.* scholasticism
sculpteur *m.* sculptor
séance *f.* session
sec (*f.* **sèche**) dry
secondaire secondary
secourir to help
secteur *m.* sector
séculaire century old
sécurité *f.* security
seigneur *m.* lord
seizième sixteenth
séjour *m.* haunt
sel *m.* salt
selon according to
semaine *f.* week
semblable similar
sembler to seem
sensibilité *f.* sensibility
sentir to feel; smell
sépare, séparent *pres. of* **séparer**
séparer to separate
sept seven

sépulture *f.* burial
sera *fut. of* **être**
seraient, serait *cond. of* **être**
sérieux (*f.* **sérieuse**) serious
service public *m.* public utility
servir de to serve as; **se servir de** to use; **servir à** to be intended for, to be used for
seul only; alone; single
seulement only
si so; if
Sicile *f.* Sicily
siècle *m.* century
siège *m.* seat
siéger to have a seat
signification *f.* meaning
silex *m.* flint
silhouette *f.* outline
situation *f.* location
situé situated
se situer to take place, to find its place
sixième sixth
société *f.* society
sœur *f.* sister
soie *f.* silk
soient *pres. subjunctive, third person plural, of* **être** are
soin *m.* care
soir *m.* evening
soit *pres. subjunctive, third person singular, of* **être** is; **quoi qu'il en soit** be that as it may
soixante sixty
sol *m.* soil, ground
soldat *m.* soldier
soleil *m.* sun; **prendre le soleil** to sun oneself
solennel (*f.* **solennelle**) formal
solennellement with ceremony
solidité *f.* strength
solitaire solitary
solliciter to solicit
sombre dark
somme *f.* sum; **en somme** in short
sommeil *m.* sleep
sommet *m.* summit
somnolent sleepy
somptueux (*f.* **somptueuse**) sumptuous
son *m.* sound; **Son et Lumière** *Sound and Light* performance
sont *pres. of* **être**
sort *m.* fate
sorte *f.* kind; **en quelque sorte** so to say
souche *f.* ancestry
soufflent *pres. of* **souffler**
souffler to blow
soulever to give rise to
soumettre to subject, submit
soumis *p.p. of* **soumettre**
soupçonner to suspect
soupe *f.* soup
souper *m.* supper
souper to have supper
sous under
sous-développé underdeveloped
sous-préfecture *f.* seat of a regional administration
sous-préfet *m.* administrator of an *arrondissement*
souterrain underground
souvenir *m.* memory
se souvenir de to remember
souvent often
souverain *m.* sovereign; **régner en souverain** to rule supreme
spécialiser to specialize
spécialité *f.* specialty
spectaculaire spectacular
spectateur *m.* spectator

spirituel (*f.* **spirituelle**) spiritual
splendeur *f.* splendor
stabilité *f.* stability
starlette *f.* starlet
statistique *f.* statistics
statistique statistical
stratégique strategical
subdiviser to subdivide
subir to undergo, go through
subordonné *m.* subordinate
subventionner to subsidize
succéder to follow
succès *m.* success
successivement successively
succursale *f.* branch
sud *m.* south
suer to ooze
se suicider to commit suicide
Suisse *f.* Switzerland
suisse Swiss
suit *pres. of* **suivre**
suite *f.* continuation; **tout de suite** at once
suivant according to; following
suivre to follow; **suivre un cours** to take a course
sujet *m.* subject
superficiel (*f.* **superficielle**) superficial
supérieur higher; heavier; superior; **enseignement supérieur** higher education
superposer to superimpose
supplémenter to supplement
sur on; over; **neuf sur dix** nine out of ten
surgelé deep-frozen
surgir to come into being
surmonter to top
surnommé called
surprendre to surprise
surpris *p.p. of* **surprendre**
surproduction *f.* overproduction
surtout above all; especially
surveiller to supervise
survivance *f.* continued existence
survivre to survive
suspendu suspended
suzerain *m.* overlord
symboliser to symbolize
syndicat *m.* trade-union
synthèse *f.* synthesis

T

tabac *m.* tobacco
tableau *m.* painting; table
tablier *m.* apron
tâche *f.* undertaking; task
tailler to trim
tandis que while; whereas
tant so much; so many
tantôt . . . tantôt sometimes . . . sometimes
tapis *m.* carpet
tapisserie *f.* tapestry
tard late
taureau *m.* bull
taux de natalité *m.* birth rate
technique *f.* engineering; technique
technique technical
technologie *f.* technology
tel (*f.* **telle**) such; such as; such and such a; **tel que** such as
téléférique *m.* aerial cable car
témoin *m.* witness
tempéré temperate
temps *m.* time; **à temps** on time; **en même temps** at the same time
ténacité *f.* tenacity
tendance *f.* tendency
tendre à to tend to

tenir to hold; to fit into; **tenir compagnie** to keep company; **tenir compte de** to take into account; **tenir le premier rang** to hold the foremost place
terminal final; **classe terminale** top class
terminer to end, complete; **se terminer** to come to an end
terminus *m.* terminal
terrain *m.* plot of land; **terrain de sport** playing field
terre *f.* land
Terre-Neuve *f.* Newfoundland
terrestre land
terreur *f.* terror
territoire *m.* territory
testament *m.* last will
tête *f.* head
têtu stubborn
théâtral theatrical
théologie *f.* theology
théoriquement theoretically
thermes *m.pl.* Roman public baths
thonier *m.* tunny fishing boat
tiède fairly warm
tiennent, tient *pres. of* **tenir**
tiers *m.* third part
tisser to weave
titre *m.* title; **à juste titre** rightly
toile *f.* canvas
toit *m.* roof
tomate *f.* tomato
tombeau *m.* tomb
tomber to drop, fall, tilt
tonitruant blustering
tonne *f.* ton
torrentiel (*f.* **torrentielle**) like a torrent
tortueux (*f.* **tortueuse**) winding
tôt early
totalitaire totalitarian
totalité *f.* whole
touche *pres. of* **toucher**
toucher to touch
toujours always; still
tour *m.* trip; turn; **à son tour, à leur tour** in turn
tour *f.* tower
tourelle *f.* turret
tournant *m.* turning point
tournoi *m.* tournament
tout, toute, tous, toutes each; every; any; all; whole; everything; very; **tout à fait** entirely; **tout au plus** at the very best; **tout d'abord** first of all; **tout de même** all the same; **tout de suite** at once; **tout d'un coup** all at once; **tout en** (*with gerund*) while; **de tout** all sorts of things; **en tout** altogether; **Tout-Paris** the-Paris-that-matters
tout *m.* the whole thing; **du tout** at all
tracer to draw
tracteur *m.* tractor
traditionnel (*f.* **traditionnelle**) traditional
tragédie *f.* tragedy
se trahir to betray oneself
trahison *f.* treason
train *m.* movement; **être en train de lire** to be reading
trait *m.* feature
traité *m.* treaty
traiter de to deal with
trancher to speak out on, settle (*a problem*)
tranquille calm
transformer to make into; **se trans-**

former en to become
transmettre to transmit
transport *m.* transportation
transportent *pres. of* **transporter**
transporter to carry
travail *m.* work; labor; job; **travaux manuels** handicrafts
travailler to work
travailleur *m.* worker
travers *m.* breadth; **à travers** through
traverse *pres. of* **traverser**
traversée *f.* crossing
traversées *p. p. of* **traverser**
traverser to cross, pass through
treize thirteen
trente thirty
trépassé *m.* dead
très very; **très parisien** typically Parisian
trésor *m.* treasure
tribu *f.* tribe
triomphal triumphal; **voie triomphale** triumphal road
triomphe *m.* triumph
triompher to triumph
triporteur *m.* carrier tricycle
trois three
troisième third
trompeur (*f.* **trompeuse**) deceptive
trop too; too much; too many
trottoir *m.* sidewalk
troubadour *m.* minstrel of Provence
troupe *f.* body of men; soldiers
troupeau *m.* herd
trouve, trouvent *pres. of* **trouver**
trouver to find; **se trouver** to be (*located*)
trouvons *pres. of* **trouver**
truffe *f.* truffle
tuile *f.* (*roofing*) tile
Tuileries *f.pl.* Paris gardens between *Louvre* and *Place de la Concorde*
typique typical

U

ultérieur subsequent
un one; **les uns . . . les autres** the former . . . the latter
uniformité *f.* uniformity
unique only; unique; **école unique** one-track school system
uniquement exclusively
unir to join, unite; **Organisation des Nations Unies** United Nations
unité *f.* unity; unit
universalité *f.* universality
universel (*f.* **universelle**) universal
universitaire of the university
université *f.* university
urbain urban; of the city
U.R.S.S. *f.* U.S.S.R.
usine *f.* factory; plant; **usine électrique** power plant; **usine métallurgique** iron works; **usine hydro-électrique** water-power plant
utiliser to make use of

V

va *pres. of* **aller**
vacances *f.pl.* vacation
vache *f.* cow
vague *f.* wave; flood
vaisseau *m.* vessel
valeur *f.* worth; value
vallée *f.* valley

vanter to praise; **se vanter** to brag; **se vanter de** to pride oneself on, boast of
vapeur *f.* steam; **bateau à vapeur** steamship
varier to vary
variété *f.* variety
vaste broad; huge
véhicule *m.* vehicle
velours *m.* velvet
vendeur *m.* seller
vendre to sell
venir to come; **venir de** to have just (*done something*)
vent *m.* wind
ventre *m.* belly
véracité *f.* truthfulness
verger *m.* orchard
véritable regular; real
vérité *f.* truth
vers *m.* verse
vers toward
verser to pour
vert green; **langue verte** slang
vertigineux (*f.* **vertigineuse**) giddying; bewildering
vertu *f.* virtue
verve *f.* zest
vêtir to dress
vêtu *p. p. of* **vêtir**
veut *pres. of* **vouloir**
viande *f.* meat
victoire *f.* victory
vide *m.* empty space
vie *f.* life
vieillesse *f.* old age
viennent, vient *pres. of* **venir**
vieux (*f.* **vieille**) old
vigne *f.* vine
vignoble *m.* vineyard
vigoureux (*f.* **vigoureuse**) vigorous
ville *f.* city; town
vin *m.* wine
vingt twenty
vingtaine *f.* about twenty
vingtième twentieth
visage *m.* face
visitent *pres. of* **visiter**
visiter to visit
vit *pres. of* **vivre**
vitalité *f.* vitality
vite quickly
vivant lively
vivre to live
vivres *m. pl.* foodstuff
vogue *f.* fashion; **en vogue** fashionable
voici here is; **nous voici** here we are
voie *f.* way; **voie de communication, voie de circulation** line of communication; **voie triomphale** triumphal road
voilà there is
voir to see
voire nay; and even
voisin *m.* (*f.* **voisine**) neighbor
voisin neighboring
voit *pres. of* **voir**
voiture d'enfant *f.* baby carriage
voix *f.* voice
volcan *m.* volcano
voler to fly up
volontiers willingly; *after a verb* to be fond of doing something
voter to vote
voué à committed to
vouloir to want, wish; **vouloir dire** to mean
voûte *f.* vault
voyageur *m.* traveler

voyons *pres. of* **voir**
vrai true
vraiment really
vu *p. p. of* **voir**
vue *f.* view; **à perte de vue** as far as the eye can reach
vulgaire common

Y

yeux *m. pl.* eyes (*singular* **œil**)

A B C D E F G H I J 5 4 3 2 1 7 0 6 9 8 7